FE

HISTORIAS DE FE RELACIONADAS CON MI VIDA PERSONAL POR

TONY VASQUEZ Y MANUEL LAYNES

PARA GLORIFICAR A DIOS

BARKER ❸ JULES°

BARKER ❷ JULES'

FE HISTORIAS DE FE RELACIONADAS CON MI VIDA PERSONAL

Edición: BARKER & JULES™
Diseño de Portada: BARKER & JULES™
Diseño de Interiores: Jessica Vallejo Huerta | BARKER & JULES™

Primera edición - 2022
D. R. © 2022, TONY VASQUEZ Y MANUEL LAYNES

I.S.B.N. Paperback | 978-1-64789-895-3
I.S.B.N. Hardcober | 978-1-64789-896-0
I.S.B.N. eBook | 978-1-64789-894-6

Derechos de Autor - Número de control Library of Congress: 1-11234318231

BARKER & JULES, LLC
3776 Howard Hughes Pkwy 549, Las Vegas, NV 89169
barkerandjules.com

Tony Vasquez y Manuel Laynes

En estas primeras páginas, me gustaría dar mi gratitud a los ángeles de esta Tierra que me han ayudado a perseverar en momentos difíciles. La familia es primordial en mi vida que tienen que ser RECONOCIDOS:

Primero, a mi cuñado Silvano, mi compadre. Él es el padrino de bautizo de mi hija Rachel. Dios lo ha bendecido mucho en su trabajo y él a través de esas bendiciones que Dios le ha dado, ha ayudado a muchos, en especial a mí. Si no fuera por Silvano este libro no se estaría publicando, ya que yo no tenía los medios económicos para publicarlo y como siempre ha estado dispuesto ayudarme, en este proyecto no fue la excepción.

Me permito decir que él es un esposo, padre, hermano y hombre de familia ejemplar. Hasta el día de hoy nunca se ha olvidado de su familia, especialmente de su madre, hermanos y de mi madre. Siempre llamando por teléfono para saber que estamos bien. Se preocupa por todos los que conoce y a los que no conoce personalmente. Él es el hombre a quien Dios le dio cinco monedas y las multiplicó compartiendo todo lo que tiene materialmente y lo hace con amor, él te deja con una sonrisa de esperanza. Él no se queda con lo que Dios le da; reparte lo que Dios le ha multiplicado.

Silvano merece esta exaltación porque Dios dice "Serás exaltado y reconocido". Él no ha pedido esto, pero quiero que sepa el respeto, el amor y el agradecimiento que le tengo sobre todo por ser un cuñado ejemplar. Mi hermana Irma, esposa de Silvano, es idéntica a él con un corazón grande, noble, humilde, generosa, siempre dispuesta ayudar. Irma desde pequeña ha sido así; ella es mi ángel mi princesa. Irma es una persona muy piadosa y perseverante en la FE, colabora en la Iglesia como proclamadora y en el coro.

La próxima familia a quien me gustaría agradecer es: A mi hermana Connie y a su esposo Mike, esposos ejemplares. Connie y Mike siempre se preocupan por mi bienestar. Connie es maestra de estudiantes del grado noveno y doceavo, son jóvenes adolescentes que están atravesando esa etapa complicada y difícil. Ella es una persona seria que no le gustan los jueguitos tontos, no es aburrida solo que es alguien que le gusta tratar toda situación con seriedad, ellos son una gran bendición en nuestra familia y son Católicos Cristianos muy activos en la FE. Mike y Connie son muy cariñosos, orantes y servidores de Dios, ellos son mis pilares donde me recargo para agarrar fuerza.

Mi hermano Jaime es como un padre, por ser el mayor de la familia, él es un hermano responsable, empezó a trabajar desde muy joven, para ayudar a mis padres económicamente, especialmente a mí. Él es un ejemplo de vida para mí, como también ha sido un gran esposo, padre, hermano, tío y amigo, él es también acólito, en la Iglesia a la que asiste. Siempre me vestía como él, quería ser como él, nos gustaba andar de corbata y teníamos trabajos honrados. Mi hermano es muy respetado por toda la familia, porque él tomó el papel de padre cuando mi padre emigró a Estados Unidos a buscar una mejor vida.

La última es mi hermana, Luisa es la enfermera de la casa, no por profesión, siempre que alguien se enferma en la casa ella deja todo lo que está haciendo para asistir al enfermo de la familia hasta que recupera la salud. La mayoría hemos tenido tragedias en la familia. Cuando me accidenté ella dejó su trabajo, para asistirme. Lulú es nuestro favorito apelativo que le hemos puesto, es muy cariñosa con los demás y pone a otros antes que a ella.

Mis padres son los últimos, pero los primeros. Por ellos soy muy bendecido. Mi padre emigró a Estados Unidos a buscar una mejor vida. Nos mandaba a la escuela privada. Mi padre nunca me gritó, ni me golpeó o usó palabras groseras o despectivas, los dos son amorosos. María Elena y Pedro. Mi padre se enamoró de mi madre cuando ella solo tenía ocho años de edad, mi papá tenía quince años de edad, y la esperó crecer para luego conquistarla hasta casarse con ella, hasta que la muerte los separó. En esta vida fue excelente padre y esposo. Los dos nos inculcaron la FE Católica Cristiana y pertenecemos a Cristo toda mi familia, gracias a ellos.

Estas pocas palabras son para compartir lo importante que es el núcleo de una familia donde hay amor y apoyo. Como toda familia hay momentos difíciles, complicados, pero todo se resuelve con amor.

Todas estas personas han sido para mí grandes en sus acciones, como también unos cuantos amigos, que de veras son pilares, para crecer y llegar a Viejo. Mis hermanos Cursillistas de Cristiandad especialmente los de mi ultreya, que están siempre perseverando en la FE: Manuel y su esposa Lidia, y su hijo Marcus, María Félix, su esposo Gil, Marta, y su esposo Antonio, Nicolás y su esposa María, Juan Pablo y su esposa Mercy, Eva y su esposo Félix, María Laynes, Julio, su esposa Élsy, Óscar y su esposa Miriam, etc. Mis amigos Homar y Javier y sus familias.

INTRODUCCIÓN

Hechos de la vida. El propósito de este libro es de hacer que las personas se acerquen a Dios. ¿FE? Hay muchas preguntas sobre la FE. ¿Qué es FE? Vamos a aprender acerca de la FE. Tú vas a experimentar la FE, a través de las experiencias de mi vida. ¿Por qué estamos aquí? Todos tenemos muchas preguntas. ¿Quién tiene las respuestas? Este libro está inspirado por el Espíritu Santo en mi corazón. Yo quiero glorificar a Dios ayudando al lector a acercarse a Dios. Las preguntas que tú tienes ya sabes las respuestas. Sin embargo, al leer de estas experiencias puede traer memorias de la trayectoria de tu vida. ¿Alguien ha pensado regresar y darle gracias a Dios? Eso trae más preguntas: ¿Damos gracias? ¿Tomamos el tiempo de darle gracias a Dios? ¿Alguna vez hacemos examen de conciencia? Esto es para hacerte reflexionar acerca de tu FE.

¿Quién soy yo para hacer estas sugerencias y proveer respuestas? ¡Yo tengo experiencias de la vida para compartir! ¡Todas las personas tienen experiencias para reflexionar! Todo discernimiento solo puede ser obtenido por Dios, orando o simplemente pidiéndole a Dios que nos regale esa *gracia*. La *gracia* de saber de las cosas divinas que nos permiten conocer a Dios. Necesitamos pedir, orando por la *gracia* de la FE. La FE viene escuchando y escuchando la palabra de Dios. Como tocar nuestra FE para identificarnos, ¡para saber quiénes somos! Hay muchas experiencias escritas de la vida de Jesús que Él tuvo que pasar. Yo quiero compartir las cosas que te has perdido, leer la Biblia, estar en comunión con Dios.

¿Cuál es la FE? Por definición: *"La FE es aferrarse a lo que se espera, es la certeza de cosas que no se pueden ver"*. *HEBREOS 11:1* Este pasaje concerniente a la función de la FE del convenio de Dios, es usado como una definición de FE. Esta evidencia como convicción es algo positivo y poderoso que es descrito como la FE. Personalmente: ¿Qué es para ti la FE? ¿Qué haces de eso? ¿Pensamiento de ilusiones? Para mí es como ilusiones, pero con permiso del Dios Altísimo. Dios es siempre un misterio a la simple vista humana.

La FE es creer que Dios existe, admitiendo que está vivo y que tú creas ciegamente en Él. Nosotros tenemos a nuestro Dios y necesitamos permiso para todas las cosas. FE en mis palabras y entendimiento es: pensamientos de ilusiones con una reacción inexplicable que da frutos cuando es otorgada. Cuando Dios otorga las ilusiones se hacen frutos reales que puedes tocar. ¿Cómo obtienes la FE? ¡La pides! Así como quieres pedir cualquier cosa. Otra vez: ¿Cómo la pides? "En oración es la manera de establecer una relación con Dios". Julia Ludlam dice que necesitamos Orar. Eso trae otra pregunta: ¿Cómo hago oración? ¿Qué es una oración? Cuando quieras orar siempre busca a Dios con el máximo respeto. Puedes empezar diciendo: "Dios JESUCRISTO aquí estoy para pedirte que me regales la FE que necesito para creer en Dios. *¡Dame el regalo de la FE!*" Confía que la FE la obtendrás antes que termine tu oración. Digo esto por mi experiencia con Dios. ¡Dios es más rápido que la velocidad de la luz para contestar! Estás listo para recibir esta **gracia** porque muchas cosas seguirán. Tampoco te preocupes por estar listo. Jesús se asegura que estés preparado.

Oración, por definición en acuerdo con la Biblia Hebrea es un, "medio evolutivo de interactuar con Dios." La oración es una interacción poderosa con Dios. La oración es espontánea, individual, es una petición no organizada y dando gracias. Antecedentes de situaciones con Isaac, Moisés, Samuel y Job de la acción de orar que cambiaba la situación para mejorar las cosas. Porque nos preocupamos, tenemos miedo, y queremos complacer a Dios. Primero necesitamos la *gracia* para estar en comunión con Dios. A veces deseamos cosas, pero no oramos para recibirlas. Hay muchas cosas de la FE que he tenido que aprender a través de mi vida espiritual. Tengo que darle crédito a la Biblia para todo lo que estoy escribiendo. Sería mejor sugerirte que leas la Biblia y ores para discernir y obtener las palabras de Dios mismo.

La palabra de Dios es viva y da frutos. Te contaré de mi vida personal, pero la Biblia es la mayor prueba. Génesis empezando con Adán y Eva. Después de leer la Biblia unas personas me recomendaron que leyera la Biblia de cierta manera. Para mí la mejor manera para leerla fue desde el principio. Si tú quieres puedes empezar en el Nuevo Testamento eso también es un buen lugar para empezar así leerás acerca de JESUCRISTO. Leer la Biblia, no es como leer cualquier libro. Es hablar con Dios. Tú lo recibes a través de la vista en su palabra y quedará grabada en tu mente y en tu corazón. ¡Con seguridad vas a querer conocer a Jesús primero! Y vas a AMARLO y vas a querer seguirlo.

Adán y Eva tenían el Paraíso. Es posible que desees conocer nuestro pasado primero para poder entender algunas preguntas que tenemos sobre la vida. En realidad, no importa dónde empieces a leer la Biblia. Nosotros tenemos el Paraíso, pero no sabemos cómo aprovecharlo. El Paraíso para mí no era el Paraíso que tenían Adán y Eva. Nosotros nada más nos hacemos la vida miserable porque así lo queremos. ¡El Espíritu Santo está presente, Dios está presente! Porque si no conoces a Dios, ¡tú no tendrás la experiencia del Paraíso! A lo mejor este libro cambiará unos cuantos corazones. Entrar en la Biblia se trata de las experiencias de la vida para permitir ver la grandeza de nuestro Señor JESUCRISTO. Hay veces que tú harás tu oración y antes de que tú termines de orar, será contestada.

Ten cuidado con lo que prometes. Algunas veces hacemos promesas que no podemos cumplir. Podemos ofrecer sufrimientos en nuestras oraciones para obtener algo. Podemos ofrecer oraciones por otros por su bienestar. Las oraciones son tan importantes para sobrellevar nuestras vidas una y otra vez. Las oraciones son correspondidas cuando oramos de corazón. Cuando estamos en comunión con Dios. Pregúntate a ti mismo en qué crees. Pregunta para recibir sabiduría de Dios, luego verifica, y pide que te enseñe. Abre tu Biblia y pídele a Jesús que te enseñe, que te permita conocerlo. Él te enseñará y te llevará a los pasajes en la Biblia donde se te revelará. Confía en Jesús. Pide y se te dará. La manera en que yo lo hago es humillarme ante Dios arrodillándome al lado de mi cama y orar. ¿Qué dices? Cualquier cosa que se te venga a la mente. Primero le digo: "¡Jesús! Señor, por favor perdóname todas mis faltas por lo que pude hacer y no lo hice. Vengo a ti humilde y quebrantado. Por favor, entra en mi corazón y en mi vida". Ábrete al Señor para cualquier cosa. Pídele al Espíritu Santo que te cubra.

A veces el Espíritu Santo se manifiesta si Él gusta estar en ti. No tengas miedo, da gracias. Ser cubierto por el Espíritu Santo, es una **gracia**, no todos lo reciben. Sentirás como algo calientito en tu cuerpo. Sentirás como que te vas a desmayar. Esto es lo más hermoso sentir una comunión con Dios. Tú puedes usar esto como un guía para llegar al corazón de Jesús, proviene de un hombre ordinario. No conocerás tu FE hasta que trates orando. Cuando tú buscas a Jesús Él no se esconde. Él no murió hace dos mil años. Él vino para quedarse vivo con nosotros a través del Espíritu Santo. *"Pero en verdad lo que les digo: les conviene que yo me vaya, porque mientras yo NO me vaya, el protector NO vendrá a ustedes. Yo me voy, y es para enviárselos". JUAN 15:7.* Él les dijo a sus apóstoles que iba a morir, para poder regresar con ellos. ¿Te preguntas cómo? ¿Cómo puede ser esto? Hay un solo Dios. Parece ser que son tres personas diferentes cuando hablas de un solo Dios.

¡Él es el Padre, el Hijo y el Espíritu Santo! Tres personas en una. Cuando Jesús murió en la cruz, el Padre resucitó a JESUCRISTO tres días después. Esto es donde está la FE cuestionable, ¿qué crees tú? ¿A quién le puedes preguntar de esto? ¿Puedes preguntarle a Dios? Pregúntale a Jesús mismo. Cuando leas esto no confíes en mí, de lo que estoy diciendo, confía en Jesús. Jesús te desafiará, Él no te engañará. Hay humor en esto. En el minuto que empieces a buscar respuestas, al momento te atraerá y te enamorarás de JESUCRISTO. Con un amor que no se puede comparar con el amor de Romeo y Julieta. Tu alma va a querer escapar de tu cuerpo. Las oraciones te llevarán ahí, pero tu FE te llevará más lejos. ¡Esto es también como recibir tu FE! Dios quiere que tú seas atraído a JESUCRISTO. Dios te escoge, motivándote para que perseveres en encontrar a JESUCRISTO. Tú sentirás como si despertaras de un día para otro, como si fuera todo mágico, todas las cosas cambiando en tu vida. El hambre de querer saber más y más de Él y querer conocer las respuestas que están en la Biblia. Toca y se te abrirá.

¿Qué ha pasado en mi vida para aclamar estas bendiciones? Yo tenía menos de cinco años cuando esto me pasó a mí, una de mis pocas memorias inolvidables. Yo nací en un pueblo pequeño, caminábamos para todo. Nosotros fuimos a visitar a una tía que vivía a veinte minutos de nuestra casa. Mi mamá estaba platicando con mi tía. Esto ocurrió en 1972, en ese tiempo no había carros en ese pueblo. No había peligro inmediato. Yo era un niño. Detrás de la casa de mi tía vivía un viejito que reparaba zapatos. Mi mamá y yo habíamos dejado un par de zapatos de dominguear para que los arreglara y los dejara brillosos. Yo me alejé del lado de mi mamá sin ella darse cuenta. Fui a la casa del viejito a recoger mis zapatos. Cuando llegue ahí el viejito estaba borracho tomando cerveza al lado de su esposa. Yo entré y él me llamo para que me sentara a su lado. En ese momento yo no sabía nada más que obedecer al viejito. Me senté a su lado. Después de sentarme él saca una pistola y me la pone en la cabeza.

Él me dijo que me iba a matar. En ese momento no entendía lo que me quería decir. La viejita su esposa le rogaba que moviera el revólver de mi cabeza. Ella suplicó varias veces que removiera la pistola de mi cabeza. Él estaba tan borracho que finalmente obedeció; removió la pistola de mi cabeza y la guardó. Luego me entregó los zapatos y me fui. Regresé con mi mamá. Nunca le dije lo que había ocurrido, hasta hoy en día. ¿Por qué estoy escribiendo de ello? Porque ha habido muchas veces en mi vida, que mi existencia ha estado colgando de un hilo. Aquí está la respuesta a la pregunta de por qué estamos aquí: porque cada humano que Dios crea es importante para el resto de la humanidad. Las circunstancias de mi vida te pueden ayudar a creer que Dios es real y está vivo. Todos tenemos un propósito en la vida.

¿Tú crees que JESUCRISTO murió hace dos mil años? ¡JESUCRISTO está más vivo hoy que nunca! Se supone que nosotros deberíamos ir y llevar a la gente a Cristo. Hay muchas maneras de hacer sus trabajos. Hay muchos **milagros** que Dios hace y que Él quiere compartirlos contigo. Él escoge a las personas en quienes Él quiere hacer sus **milagros**. *"Él hizo un milagro para que nosotros creamos en Él, ese milagro es Jesús mismo. ¡Él vino a la Tierra como hombre! Dios lo creó a través de la Virgen María."* MATEO 2:1-12. Jesús nació en Belén cuando Herodes era rey. Este es uno de sus **milagros** mayores, pero, ¿por qué la gente no glorifica esta grandeza? Dios utilizó el vientre de la Virgen María como TABERNÁCULO para su propio hijo Jesús. A través de la historia del hombre Dios ha querido estar en comunión con su creación, de tal manera que Él ha vivido entre nosotros y se ha quedado con nosotros por la eternidad.

¿Acaso no ves que el enfoque de Dios ha sido la humanidad? Nosotros somos tan importantes para Él, como su creación. ¡Nosotros somos hijos e hijas y amigos de Jesús! La grandeza de este **milagro** debe ser el **milagro** más grande hecho por Dios. Nos hace creer en su existencia. Yo solo soy un alma tratando de convencerte acerca de quién es Dios. Tú tal vez te estás perdiendo las bendiciones diarias. Una vida larga y virtuosa. ¿Acaso sabes qué es lo que está guardado para ti? Date a ti mismo la oportunidad. Dios sí te necesita, pero nosotros lo necesitamos más. Nosotros somos pecadores por pecado original, pero el pecado no es más grande que Dios. Él nos dio a su único hijo para redimir a toda la humanidad. Todo esto es un misterio, pero eso es la hermosura de esto. Nosotros no somos Dios, nosotros no podemos hacernos Dios y él escoge corazones humildes para su servicio. Porque yo hoy estoy vivo todavía, ¡después de cincuenta veces de casi perder mi vida! Dios es un Dios celoso y él tiene la última palabra. Nosotros no sabemos cuándo, ni cómo, ni dónde, cada individuo tendrá su último suspiro.

FE. ¿Qué seríamos nosotros sin FE? Como que nada pasaría, nosotros podemos hacer muchas cosas, hasta que suceden cosas inexplicables. Curioso cómo a veces pasan cosas sin saber los detalles, pero ¿Cómo sucede esto? Alguno de nosotros no queremos admitir o darle crédito a la intervención divina. Al caminar por la vida hay cosas que me han ocurrido sin tener explicación. Como a cualquiera, cosas le suceden equivocadamente por alguna razón. Así que: ¿Cómo aprendemos de estas cuestiones? ¿Hay respuestas?

¡Yo digo que sí! Tú me preguntarás: ¿Por qué Dios permite tragedias? A veces no somos nosotros los instigadores por nuestros perjuicios. Nosotros hacemos muchas excusas, para justificar nuestra mala conducta. Nosotros hacemos excusas por todo lo malo, de verdad el progreso puede ser cumplido, sin necesidad de hacer cosas malas. Dios nos permite todo, pero ¿Todo es bueno? ¿Tenemos que tener todo bajo el sol? ¿Cuáles son nuestras necesidades si solo confiamos en Él? Todos tenemos necesidades, pero todos somos bendecidos, aunque no le pidamos. Qué tan mal agradecidos somos, porque todas las cosas aparecen enfrente de nosotros.

¿Deberíamos nosotros arrastrar a otras personas a nuestra vida pecaminosa? ¿Hay muchas cosas que ofenden a Dios? Así que, en esencia, ¿quién crea la tragedia? Nosotros siempre culpamos a Dios y nuestra sociedad se hace co-conspiradora. Nosotros permitimos a nuestros líderes y vecinos que hagan el mal sin decirle nada a nadie. Hay consecuencias para todo, cosas malas pasan, las cosas que tú hagas hacen una diferencia sin tener explicación. Cuando haces cosas malas te alcanzan. Cuando haces cosas buenas, cosas buenas te suceden. ¿Qué tiene que ver la FE con todo esto? Todo. ¿En qué crees tú? Si tú crees que cosas buenas pasan después de orar, cosas buenas pasarán por intervención divina.

Hay muchos eventos en mi vida en la cual la FE y la oración han tenido una gran importancia. Como cualquier cosa, tenemos que aprender. Aparentemente como que no tenemos nada que perder. Nosotros vivimos del día a día sin mirar que algo sobresale. ¡Algunos eventos los miramos como tragedias que suceden! Hay signos en nosotros que sugieren de otra manera. ¡Así que nos lleva a eso! Accidentes no nada más suceden. ¿En qué fallamos? ¿Sería la vida mejor, bendecida o no bendecida? ¿Así que cómo puedes ser bendecido? ¡Oración! Di: "Padre bendíceme este día antes de caminar fuera de mi hogar para tener un buen día. Que yo no tropiece, mantén el mal alejado de mí, y bendice al mundo entero". Cuando salgas fuera de tu casa, a través de la FE todo estará bien. Si estás buscando trabajo: encontrarás trabajo. Si buscas comida: la encontrarás. ¿Así que de dónde vienen esas bendiciones si Dios no dejara crecer las cosas o si alguien no necesitara tu ayuda? Y tenemos que pensar en todas estas cosas para seguir siendo bendecidos y estar agradecidos por cada pequeña cosa. Imagínate la hambruna que podría haber.

Si tú no eres orante. Deberías serlo, porque personas que no oran no quiere decir que no sean bendecidos. ¡Dios es muy abundante y suple todas nuestras necesidades! ¿Sabes por qué? Porque hay personas orando para que todos seamos bendecidos. Si tenemos invierno en un lugar en otro es primavera. Nos mantenemos los unos a los otros proveyendo para el uno y para el otro. Así que pregúntate: ¿Qué **milagros** hace Dios últimamente? Trata de mirar en el espejo, mirándote a ti mismo cuan hermoso tú eres, porque Dios te ama tanto. Tú te despiertas y tan solo con abrir la puerta de tu despensa o refrigerador obtienes comida. Mientras que en otros lugares otros recogen su comida de la tierra o la cazan, pero no hay ningún humano que mágicamente pueda hacer crecer algo sin la *gracia* de Dios.

¡Podrías aprender a orar por medio de cada uno de nuestros hermanos y hermanas! Lo puedes hacer cuando te despiertes y te vayas a dormir. Si alguna vez vas a la Iglesia, tú encontraras la mayoría de ancianos orando por nosotros y nuestras familias. Cuando decimos: "Perdóname Dios por no hacer las cosas", tal vez sea por no orar. Fallamos de muchas maneras, pero esto lo tenemos que hacer, enseñar a nuestros hijos los buenos hábitos. Es tan grandioso mirar niños pequeños orando al lado de su padre y su madre. Ellos aprenden muchas cosas, por ejemplo, tú no necesitas que una PANTALLA DE TELEVISIÓN, TELÉFONO O COMPUTADORA te esté criando a tus hijos. Una madre y un padre hacen un **milagro** cuando traen a un niño a Cristo. Mirar a un niño arrodillándose ante Dios hace que la vida valga la pena vivirla. La reverencia es un **milagro**. Las cosas que me han ocurrido son numerosas. Todos tenemos historias que compartir, los pequeños **milagros** pueden ser los más grandes. Porque una oración puede salvar muchas vidas. ¿Cómo puede salvar vidas? ¡Dios cambia corazones, o tú puedes salvar un alma de que se vaya al Infierno! Una oración puede dar de comer a muchas personas. Jesús alimentó a miles a través de una oración conocida como: *"El milagro de los cinco panes y dos pescados"* que encontramos en el Evangelio de *MATEO 14:13-21. "Cristo alimentó a cinco mil".* Un recordatorio sin escribir cada palabra de la Biblia Jesús hizo una oración. Jesús era tan compasivo que alimentó a la gente, ahora imagínate cinco mil mujeres, hombres y niños. Ellos estaban en un campo donde no había un supermercado alrededor, sin tienda alguna, con excepción de Jesús y sus discípulos escogidos.

Doce hombres escogidos que seguían a Jesús porque se dieron cuenta de que Él era El Mesías (ungido). Jesús alimentó a todas esas personas. ¡Cómo se sentirían! No se lo imaginaban, ahí no había un supermercado. Ellos vinieron a Jesús quien es el Hijo de Dios. Ellos no se quejaron, ellos no sabían qué hacer. Ellos no podían improvisar. Jesús siendo el Hijo de Dios no se preocupó. Él no corrió o los ignoró, él proveyó, la FE de Jesús hizo, que, con la *gracia* del Padre fuera fructífera. ¡Dios proveyó! Jesús les pidió a todos que se sentaran. *"Él pidió que los panes y los pescados fueran traídos a Él. Él miró hacia el Cielo y empezó a dar gracias a Dios partiendo el pan y se lo dio a sus discípulos para que lo repartieran a todos". MARCOS 6:42-44.* El pan y los pescados se multiplicaron **milagros**amente para alimentar a toda la gente. ¿Qué pasó para que esto se cumpliera? FE. ORACIÓN. Querido lector, hermano o hermana persevera en la FE y sé orante, da gracias a Dios por todo lo que recibes.

¿Ofrendas? ¿Qué le podemos regresar nosotros a Dios? ¿Qué le puede dar un pequeño niño a su padre? Lo que podemos ofrecer es amor y dar gracias. Con Dios esto es diferente hay millones de cosas que le puedes ofrecer en oración. Sufrimientos, dolor en tu cuerpo, dificultades, días malos, días buenos, enfermedades, esa es una pequeña lista para darte una idea. ¿Estas oraciones para quién son ofrecidas? Ofrece tus oraciones por un miembro de la familia, especialmente las almas del purgatorio, las personas que están encarceladas, pecadores que no conocen a Dios, etc. ofrece tus oraciones por la humanidad, por la creación de Dios, por nuestros recursos naturales, todos los animales y por la gente del mundo entero. No te olvides de las personas de pobre corazón, pueden ser esos que están encarcelados que no conocen a Dios, ateos. Cuando regales, regala de corazón. ¡Todo humano está hecho a imagen de JESUCRISTO! Nosotros no sabemos qué le está ocurriendo a la persona. Cuando lo haces por una persona necesitada tú lo haces por JESUCRISTO.

¿Recuerdas la Natividad? ¡El Hijo de Dios, el dueño del universo! Él nació de María y José. María y José no eran ricos materialmente. Ellos tuvieron que irse de Nazaret a Belén por el censo que el rey había exigido. Jesús tuvo que nacer en un pesebre por no haber sitio para ellos. Luego Herodes se sintió amenazado de perder su poder y mandó a matar a todos los niños de Belén. Imagínate un Rey divino que nace en un establo, a Él no lo querían, no tenían un lugar para Él. ¿Tú tienes un lugar para Jesús en tu corazón o tienes un congelador para Él? ¿Qué tienes para ofrecerle a Él? *"Él sufrió la muerte por nosotros, para darnos la vida"* nosotros queremos vivir en libertad, lejos de Jesús y el vivir en libertad lejos de Jesús, se convierte en libertinaje que ofende al Padre. Nosotros somos egoístas, nosotros lo dejamos colgado en la cruz. Es tiempo de llevarlo a casa, es tiempo de amarlo. Dejemos que Jesús nuestro Dios venga a casa en nuestros corazones, haz de tu corazón un tabernáculo. ¿Qué es un tabernáculo? Es el lugar más sagrado donde descansa Jesús. *"En los tiempos de Moisés los israelitas construyeron un Santuario para Él. Dios quería estar cerca de su pueblo, quería vivir entre ellos". ÉXODO 25:8*

A través del tiempo que yo vivía, no era una persona espiritual o activa en la FE. Tuve que aprender a orar y pedir conocer a JESUCRISTO. Mi enseñanza fue a través de la Biblia, retiros, libros y animadores en los retiros. La formación se tardó un largo tiempo, pero yo me siento espiritualmente fortalecido, no estoy lo suficientemente cercano a Dios. Hay un secreto que un Católico Cristiano disfruta de la FE, que otros se la están perdiendo. Si tú no eres Católico entonces tú no conoces la historia, yo te invito a que vengas y convivas con esta gloriosa familia, espero que seas parte de esta familia santa. Hay momentos en que Jesús nos hace santos, cada vez que vamos a Misa, a través de las manos consagradas de un Sacerdote, recibimos el cuerpo y la sangre de JESUCRISTO.

Así que reflexiona sobre esto, que por un momento tú puedas ser tan Santo en la semejanza a JESUCRISTO. ¡Su sangre corre por tus venas! Tú tienes que vivir en la *gracia* de Dios. En la FE Católica nosotros confesamos nuestra falta a Dios a través de un sacerdote. Nosotros celebramos la Misa de Cristo, la Oveja sacrificada. ¿Cómo puedes perderte esto? Adán y Eva no pudieron disfrutar de esta comunión con DIOS. Antes de su crucifixión Jesús estableció su Iglesia para celebrar su nacimiento, su vida, su muerte y su resurrección. Tres días después lo resucita El Padre. Yo me tardé más de cuarenta años para regresar a la Iglesia y poder estar en comunión con Dios. Hay mucho que contar, pero está en ti buscar respuestas. La puerta siempre está abierta para transformarte en la imagen que Dios quiere que seas. Ven al pie de la cruz y fíjate como Jesús está sacrificado, no dejes que tu corazón se endurezca. El peso de nuestra falta juega una gran parte. Tenemos que orar frente a sus pies, arrodillarnos y ser humildes.

En los tiempos de Moisés solo a los sacerdotes Levitas se les permitía estar dentro de la tienda de Dios. Donde se encontraba el Arca de la Alianza de Dios. Ahora nos permite que lo toquemos y estar cerca de Él, y lo podemos consumir en la Eucaristía. ¿Qué es la Eucaristía? La Eucaristía es la hostia consumida por Católicos Cristianos en la ceremonia conmemorando la última cena. El sacerdote consagra la Eucaristía durante la Misa. Es para celebrar y ofrecer a Dios el sacrificio. Dios quiere una oveja sin mancha. Los fieles Católicos Cristianos y la Iglesia Ortodoxa son las únicas Iglesias que consagran el cuerpo y la sangre de Cristo. Hay otros, pero los Católicos e Iglesias Ortodoxas que fueron establecidas después de la muerte de Cristo observan este ritual. "El pueblo de Dios" son los únicos, que si son bautizados pueden consumir El cuerpo y la sangre de Cristo durante la ceremonia. Tú puedes tener la oportunidad de estar más cerca a Dios, tú puedes ser de la FE Cristiana.

Convertirse en Cristiano por la FE es una oportunidad que todos tenemos. Hay pasos para convertirse en Cristiano. Catecúmenos en el proceso de ser Cristiano, tiene que ser a través del bautismo, puedes hacerte Cristiano en cualquier momento de tu vida. Necesitas un padrino que ya se encuentra en la FE. El padrino necesita tener los sacramentos de bautizo, primera comunión, confirmación y si está casado (a) debe tener el sacramento del matrimonio. Cuando ya tienes un padrino pasarás por una formación de Catecúmeno aprendiendo la historia de la Iglesia Católica. Y aceptando a JESUCRISTO como tu Señor y Salvador. Y luego tú puedes asistir a Misa, los domingos serás permitido celebrar parte de la Misa. Serás escoltado fuera de la Iglesia antes de la consagración de la Eucaristía irás a aprender de las escrituras y regresarás antes de que termine la Santa Misa. Cuando termines ese procedimiento serás bautizado. *"Los catecúmenos serán los nuevos Católicos. Los catecúmenos son bautizados en la vigilia Pascual. Esta Misa es celebrada por el obispo". GÁLATAS 6:6.* Todos los catecúmenos, padrinos y candidatos (catecúmenos), y padrinos (para catecúmenos y candidatos) se reúnen para hacerse Católicos Cristianos. Los elegidos en este momento expresan su deseo de ser Católicos Cristianos.

Bienvenido a todo aquel que desee este camino, es el camino a Cristo y también el camino al cielo, según las enseñanzas de JESUCRISTO. Jesús sumó todo esto en un verso: *"YO SOY EL CAMINO, LA VERDAD Y LA VIDA. NADIE VIENE AL PADRE SI NO ES A TRAVÉS DE MÍ." JUAN 14:6*. Todas las preguntas de los hombres están contestadas en este verso. Estas citas están tomadas de la Biblia. Todos hacemos este examen de conciencia cuando ya tenemos las respuestas frente a nosotros.

Jesús es la respuesta a todas tus preguntas, tú puedes recibir respuestas a cualquiera de tus preguntas. Refiérete a la Biblia, pregúntale a Jesús, Él te contestará. Ora con reverencia y pregúntale al Espíritu Santo para que te ilumine. El Espíritu Santo te llevará a los pasajes y citas de la Biblia. Soy un sujeto como cualquier otra persona, humillándome ante cualquier lector para que vea la luz. Jesús escogió a doce apóstoles para seguirlo. Jesús les enseñó el Evangelio que quería instituir. Jesús instituyó un camino hacia Dios después de que muera nuestro cuerpo. Tenemos la mejor herencia de Jesús, pero tenemos que seguir los preceptos de Él para poder llegar al Padre. Necesitamos pasar por Él, primero "CRISTO", nos debemos someter a Él con todo nuestro amor. Tenemos que enamorarnos de Él para alcanzar el nivel más alto de nuestra FE.

¿Qué preguntas persisten en tu mente y quieres obtener respuestas? Hay muchos talentos y regalos de Dios que quiere darte, pero tienes que pedirlo. Nada en este mundo es gratis. Aunque Dios te dé esto siempre tiene que haber una acción que nos cuesta alguna clase de energía. Todos tenemos que sobrevivir, ¿correcto? Si nosotros le pedimos comida a Dios Él siempre provee, de tal manera que la tienes que llevar a tu boca. Dependiendo qué pidas o qué quieras, a lo mejor tienes que arrancarlo, cazarlo o correatearlo. Tú sabes que podemos escoger quejarnos o tener humor. A mí me causa risa, que gracias a Dios tenemos dificultades para recibir sus bendiciones. Yo sé que esto tiene un proceso. Nosotros somos una cadena de hermanos y hermanas que nos necesitamos los unos a los otros. La distancia tiene que ser comprometida de tal manera que podamos ayudar a que gire el mundo.

¿Te has preguntado a ti mismo cómo crecen las plantas, qué necesitan para crecer? ¿Quién provee lo que necesitamos para sobrevivir?: ¡Dios! Ahora, ¿no merece Él la Gloria? ¿Imagínate a ti mismo proveyendo para otro? ¿Te gustaría tener un poco de reconocimiento por tu trabajo? Esto solo son recordatorios. ¿En quién debemos de confiar para sobrevivir?, nosotros nos necesitamos del uno al otro. Señor, en este momento oramos por unos a otros y damos gracias por todos los regalos y talentos que nos das para sobrellevar nuestra vida.

¿Bendiciones? ¿Cómo puedes ser bendecido? Cualquier cosa que tú quieras ya lo has recibido. Sería mejor si hiciéramos una costumbre pedirle las cosas a JESUCRISTO. Él provee le pidas o no. Las oraciones de agradecimiento deben ser más apreciadas de lo que pedimos y recibimos. Nuestros alimentos, aunque crezcan en árboles tienen que crecer por la *gracia* de Dios. Como que todo aparece mágicamente, pero, tiene que ser por la *gracia* de Dios. Pregúntate a ti mismo, ¿cómo la comida llega a ti? ¿Es suficiente o puedes conseguir más para mantenerte a ti mismo y a tu familia? Pregúntate a ti mismo si tienes dificultad recogiéndolo o encontrándolo y, aun así, ¿no haces oración para dar gracias? ¿Te has preguntado a ti mismo por qué yo tengo menos y mi vecino tiene más? Una y otra vez nos preocupamos de estas cosas.

¿Qué fallamos en hacer? Cuando lo tenemos, ¿lo compartimos? ¡Lo que he visto es que algunos son ricos por muchas razones! Ellos saben cómo distribuir su riqueza, ellos bendicen a la gente. Algunos ricos tienen muchos talentos con muchos regalos de Dios, Dios crea a todos. ¿Cómo recibimos estos regalos si no los pedimos? ¿Cómo puedes crecer como una persona? Él nos moldea desde la concepción. Cuando nacemos Él nos da libre albedrío para crecer y ser fructíferos. Hay personas que tienen un corazón que regalan. Ellos no reflexionan o preguntan mucho si alguien necesita algo. Cuando ellos tienen algo, ellos lo comparten. Estas bendiciones son realizadas por alguien porque Dios les dio un regalo.

¿Cómo fui bendecidocreciendo? ¿Es porque tuve padres excelentes?

Mi padre emigró a EE.UU. para darle una mejor vida a su familia. Nosotros emigramos con él cuando yo tenía once años, nosotros nos quedamos en Houston, Texas. Yo crecí en Houston y fui a la escuela y hasta la fecha de hoy vivo en Houston. Mi vida ha sido como una montaña rusa, he tenido numerosas experiencias de muerte. Estas experiencias de muerte me han hecho entender que hay un Dios. Toda mi familia es Católica Cristiana, yo nací en la FE Católica. Nosotros tenemos subidas y bajadas en la vida y se nos olvida de dónde venimos. Es una vergüenza decirles que después de cuarenta años he aprendido acerca de Dios. Esta es la manera en que he sido bendecido para llegar al pie de la cruz. Hay muchas bendiciones que me he perdido por alejarme de Dios. Mi ignorancia me ha causado desviarme de Dios. ¡Nosotros tenemos un Dios, un Creador!

Tú necesitas aprender todo lo que puedas. ¿Te has preguntado a ti mismo qué existe después de la muerte? ¿Qué pasa después de aquí? ¿Así que tu cuerpo se muere qué hay después, hay un después? El mismo Jesús dijo que hay una vida después de la muerte. Cristo dijo que hay un Cielo, un Purgatorio y un Infierno y nos explicó qué vamos a enfrentar después de la muerte. ¿Te has preguntado sobre estas cosas? ¿Acaso tienes miedo de algo? Dios nos crea con inteligencia, pero nos perdemos en el camino. Nosotros pensamos que somos dueños de nuestros cuerpos, nosotros podemos hacer lo que queramos cuando nosotros queramos. Cierto, pero hay consecuencia sobre nuestras acciones. Cuando conozcas a Dios sabrás las respuestas que yo te he expuesto.

Jesús nos dejó una herencia, su Palabra, Él nos dejó a los doce apóstoles con diferente sabiduría para instruirnos, para seguirle. Jesús le dijo a cada apóstol que le siguiera, ¿a dónde? Jesús les enseñó todo lo que está en la Biblia, hay muchos libros acerca del Evangelio, tú los puedes comparar y mirar que no hay diferencia. Algunas personas tal vez escucharon historias de Cristo, pero no confirmaron la verdad sobre Él. Hay diferentes autores de la Biblia que escribieron lo que vivieron con Cristo, y sus enseñanzas.

¿Tú tienes alguna idea de lo que nosotros estamos perdiendo? Si tú supieras las bendiciones que te pierdes diariamente y el valor que tienen las bendiciones. Mi segunda experiencia de muerte fue en el trabajo, estaba arriba en un techo haciendo un trabajo. La casa necesitaba trabajo en una madera que necesitaba ser recortada. Por las regulaciones la madera no tenía que tocar el techo. Usando un esmeril con una cuchilla para cortar madera. La cuchilla se trabó y la fuerza me la arrebató de la mano y rebotó de un lado a otro cayendo en la parte de atrás de mi rodilla. "ME CORTÉ UNA ARTERIA MAYOR Y LA SANGRE CORRÍA COMO UNA LLAVE DE AGUA ABIERTA". Estaba recostado en el techo del segundo piso de la casa. Tuve que bajarme y hacerme un torniquete para parar el sangrado. En ese momento ya teníamos teléfonos celulares el cual pude llamar al número de emergencia para los paramédicos. Por poco se me oscurece todo de tanta sangre que perdí. Los paramédicos llegaron y atendieron mi herida. Los paramédicos tenían un helicóptero para transportarme al hospital. En el hospital el doctor cosió mi herida y me dejaron salir después de una hora. "¿CUÁL ES MI RAZÓN DE VIVIR? ME HACÍA LA MISMA PREGUNTA". En ese momento de mi vida, vivía de espaldas a Dios.

En los siguientes años, la búsqueda del alma que nunca para y nos mantiene despiertos en la noche. "MI ALMA VIENE DE TI SEÑOR Y NO DESCANSARÁ HASTA LLEGAR A TI". *SAN AGUSTÍN*. Para obtener las oportunidades que vienen una y otra vez y nosotros no las aprovechamos. De tal manera que yo seré para ti una ESPINA que te recordará estas cosas, hay muchas cosas en qué pensar. ¿POR QUÉ EXISTIMOS? Darse cuenta de que la vida es una bendición. Jesús dio la vida por ti. El precio que tuvo que pagar por tu vida fue su sangre, él fue ensangrentado hasta la muerte por nuestros pecados. Qué tal si te tomas el tiempo para conocer su crucifixión por la cual tú vives. Cristo nos quiere dar la vida ETERNA esa es nuestra herencia. Una vida que nunca termina, pero diferente de esta vida. Nosotros tenemos un Paraíso, pero lo hacemos un Infierno para uno al otro. El Paraíso depende de nosotros, no lo podemos comparar con el Paraíso de Adán y Eva. La verdad es que hay una sola Iglesia la cual Jesús fundó e instituyó, eso para mí es un Paraíso. ¡JESUCRISTO se hace humilde y se convierte en pan y vino! Nuestra inteligencia no puede captar esta realidad, tal vez por eso muchos no creen.

¿Cuándo llegará tu tiempo para que te acerques al pie de la cruz? ¡Arrodíllate y pide perdón por todas tus ofensas a Dios! ¡Habrá un tiempo, que tú clamarás a JESUCRISTO que venga a salvarte! ¡Cuando estamos alejados de Dios nosotros lo negamos! No esperes a que lo necesites y te niegue. Un miembro de la familia, que se murió hace unos años, cuando estaba en sus últimos suspiros, les pidió a todos que oraran por su alma. ¡Él miró a donde se dirigía su alma! ¿Tú sabes a dónde vas? Jesús dijo *"que hay un Infierno donde habrá rechinar de dientes que no termina, un fuego donde la sed no puede ser saciada." LUCAS 13:28.* En este instante, los que estamos vivos podemos escoger ORAR y actuar bien o mal. Tal vez no sabemos en dónde vamos a terminar. Somos bendecidos con nuestra vida ahorita, podemos bendecir a los que ya partieron con nuestras ORACIONES. Ya cuando llegue nuestra muerte y seamos juzgados no tendremos la oportunidad de arrepentirnos.

Ora por las almas en el purgatorio, el purgatorio es el lugar donde las almas van para ser libres de sus pecados, para entrar al cielo. ¿Hay alguien más aparte de Jesús, que esté fuera de pecado? ¿Nosotros nacimos en pecado de Adán y Eva? El pecado original de desobediencia, después compilamos más ofensas con deseos falsos y desobediencia. Pensamos que nuestros cuerpos son para hacer lo que nos dé la gana. ¡Nosotros estamos tan equivocados en tantas cosas, nuestros padres temían a Dios! En el pasado Dios castigaba a la gente más severo. Estoy seguro de que todavía lo hace, nosotros sabemos cuándo nos portamos mal y nos hacemos preguntas del castigo. Nos preguntamos por qué nos ocurre algo. Las tragedias se encuentran alrededor, pero a veces las evadimos. Hasta que nos encontramos en agua caliente nos damos cuenta, que vamos a pagar por lo que hemos hecho. Purgatorio es el lugar donde te limpias de pecado. En el Viejo Testamento los holocaustos tenían que ser de animales sin mancha, ¿qué tal nosotros llenos de pecado? ¿Crees que así podemos estar en la morada de Dios? No sobreestimes su misericordia y perdón, tal vez veas el purgatorio como un punto de espera. A nosotros no nos gusta el castigo, por eso necesitamos seguir los preceptos, sus reglas, sus leyes o mandamientos que los ha hecho por amor a nosotros

Hay mucha historia de cómo somos salvados, hay momentos en los cuales hay tragedias escondidas diariamente en nuestra vida. Podemos sobrevivir, pero no por nuestra propia voluntad. Nosotros, no tenemos poder de hacer nada, podemos hacer cosas físicas, pero no divinas. Jesús dijo: *"Si tuviéramos FE del tamaño de una semilla de mostaza"*. El tamaño de una semilla de mostaza es del tamaño de un objeto muy pequeño, pero al crecer llega a ser un gran árbol. Jesús dijo: *"Si tu FE fuera así, tú podrías mover montañas"*. Imagínate vivir sin FE, a veces nos encontramos perdidos. ¿Qué hace un alma perdida? Caemos en algún tipo de adicción, escapatoria, excusas, etc. Qué tal si aprendemos a defendernos y luchamos frente a frente, enfrentando nuestras debilidades. Haz un examen de conciencia de tu alma. ¿Tienes alguna idea de cuándo tu alma quiere salir de tu cuerpo y correr lejos de ti? Jesús dijo que Él no pertenecía a este mundo, cuando le preguntaban quién era. Nosotros no somos de este mundo, y no permaneceremos por mucho tiempo en esta Tierra, por eso nuestro cuerpo tiene que morir. ¿Acaso Dios permanece vivo en la Tierra? ¿En dónde se encuentra su Reino? Jesús le llamó CIELO, ¿acaso no queremos ir ahí? ¿Acaso esta bendición no la queremos adquirir de Dios Padre Altísimo? Nosotros no saltamos en la casa de nuestro vecino nada más porque sí. Pedimos permiso y tratamos estar ahí con nuestra mejor conducta.

Cuarenta años después de mi vida tengo un encuentro con Dios. Antes de tener ese encuentro con Dios asistía a Misa en diferentes ocasiones, esa no es la manera de vivir nuestra FE. Por ignorancia o flojera, o porque me era indiferente. Se nos olvida, nos caemos del vagón, pero nos tenemos que subir otra vez. Pablo, uno de los apóstoles no era parte de los doce apóstoles originales, pero JESUCRISTO lo escogió para ser apóstol de los gentiles. San Pablo, conocido en la Biblia como Saulo de Tarso, perseguía a Jesús. "Un día en el camino montado en un caballo rumbo a Damasco, fue tirado por el caballo. En ese momento perdió la vista y Jesús le habla y le dice, '¿Saulo por qué me persigues?'" Les escribo un poco de historia acerca de San Pablo, era unos de los apóstoles escogidos por Dios antes de nacer. Él era un hombre muy sabio que fue escogido por Dios para proclamar la Palabra a los gentiles. San Pablo era un hombre muy preparado en el idioma griego, en literatura y cultura, que le permitió predicar a su nivel. San Pablo era una persona muy celosa de la ley de Dios y Jesús le llamo para predicarle a los gentiles, él era perseguidor de los primeros Cristianos. Jesús lo tumba del caballo para hacer de Él, discípulo suyo. *GÁLATAS 1:15-16.* Nosotros también nos caemos del caballo y nos alejamos de Dios. Yo personalmente fuera de mi ignorancia decidí regresar a Dios cuando él me llamó. Mi madre siempre trató de guiarme por el buen camino aun siendo mayor de edad. Mi respuesta hacia mi madre era: "Yo iré a la Iglesia cuando Dios me llame". ¡No sabía de lo que me estaba perdiendo!

Dios escogió como instrumento a una de mis hermanas al invitarme a un retiro de sanación y yo acepté. Yo asistí al retiro que comenzó un jueves por la tarde, sin saber qué esperar. No puedo dar detalles, pero al salir del retiro yo era como un hombre nuevo. Todo era nuevo y mi vida cambió para siempre. Y luego yo tenía mucha hambre, yo tenía miles de preguntas acerca de la Iglesia, acerca de Dios, acerca de Cristo, acerca de mi existencia, acerca de mi ignorancia y acerca de la Biblia. En ese momento tuve una razón real y compré una Biblia, entonces empecé a leer la Biblia de la página uno en adelante. Todo estaba tan interesante, empecé a orar y pedirle a Dios por sabiduría y entendimiento para entender las escrituras.

Estaban disponibles otros libros para mi formación de Católico Cristiano. Nada era suficiente para mí. Jesús puso en mí un deseo ardiente para conocerle. Jesús es un Padre para nosotros, nuestro Dios y nuestro mejor amigo. Cuando ores sé humilde y órale de esta manera: haz el símbolo de la cruz empezando con el nombre del Padre, del Hijo y del Espíritu Santo. Sé humilde y pide perdón antes de entregar tu carga. Antes de terminar la oración sentirás en tu cuerpo que se ha hecho más ligero. Cargamos con tanta culpa y nuestro cuerpo se siente pesado. En la crucifixión Jesús carga la cruz de madera muy pesada, a la vista de la multitud. Él actualmente está cargando con nuestros pecados y de toda la humanidad. ¿Qué podemos hacer nosotros por Jesús? Tal vez podemos ser como Simón el Cirineo y voluntariamente cargar con nuestra propia cruz.

Tú puedes preguntar cuál cruz, cualquier carga puede ser tu cruz. Dios Padre no está contento con nosotros después de haber matado su único Hijo, vamos a calmar con nuestro sufrimiento ofreciéndonos a Dios. Queriendo decir nuestras dificultades, nuestras buenas obras, nuestras, oraciones o cualquier cosa que puedas pensar. *"Jesús se hizo el último sacrificio, antes del sacrificio de Jesús eran sacrificios de animales para perdonar nuestros pecados. La gente antes tenía que purificarse por medio de rituales rigorosos y poniéndose cierta ropa limpia por mandato de Dios. Los levitas eran el pueblo de Dios durante el tiempo de Moisés y no podían estar impuros a los ojos de Dios". ÉXODO 30:20-21.* Los levitas eran pueblo consagrado a Dios en los tiempos de Moisés. En el Antiguo Testamento, Dios le dio un mandato a Moisés, que los levitas se rasuraran el pelo de todo el cuerpo y se lavaran con agua bendita. Después tenían que ponerse ropa limpia y ser purificados. Posteriormente, tenían que conseguir un novillo con su correspondiente oblación con harina y aceite para hacer una ofrenda a Dios. Moisés tenía que ofrecer un segundo novillo por los pecados del pueblo.

"Este era el proceso para purificar el pueblo de los levitas, más allá ellos en retorno tenían que imponer las manos al Pueblo de Israel solo los levitas podían hacer esto, los escogidos". NÚMEROS 7:5-10. El punto es que el mandato de Dios, durante el Antiguo Testamento cambia. En acuerdo con la profecía Jesús se convierte en el Cordero Sacrificado, Juan Bautista anuncia a Jesús como el Cordero. Cuando Juan mira a Jesús una mañana viniendo hacia él, Juan exclamó: *"Aquí viene el Cordero de Dios que quita el pecado del mundo".* JUAN 1:9. Jesús realiza la profecía en donde todos somos incluidos como su pueblo.

Hoy en día todos somos el pueblo de Dios bajo la custodia de JESUCRISTO, nosotros tenemos la oportunidad de convertirnos en Cristianos. *"Hay unos pasos y decisiones personales para convertirnos en Cristianos, como he mencionado antes, hay que seguir ciertos pasos para convertirse en Católicos Cristianos para conseguir la salvación. Tienes que reconocer a JESUCRISTO como tu Salvador para tener un lugar en el cielo." JUAN 3:16. "Jesús es enlace entre nosotros y Dios. Todos pecamos de una manera u otra y esto causa muerte Espiritual".* ROMANOS 3:23. *"El pecado es el que nos separa de Dios, no podemos ser pecadores y entrar al cielo."* ROMANOS 6:23. ¿Tenemos la salvación para tener vida eterna? "Sí, la tenemos, pero tenemos que tener arrepentimiento y pedirle perdón a JESUCRISTO por nuestros pecados, acepta a Cristo como tu Salvador. Nadie viene al Padre si no es por mí". *JUAN 14:6.*

¿Qué tenemos que perder si seguimos estos preceptos establecidos por un convenio de Dios, que asegura nuestra salvación? ¿Queremos ir al Infierno de donde no podremos salir? Imagínate cuando cometes un crimen y vas a la cárcel por ciertos crímenes, esto es como Purgatorio para algunos. *"Bueno el Infierno es como una cárcel donde el gusano no muere y el fuego ardiente nunca se apaga y tu alma no descansa por la Eternidad."* *MARCOS 9:48.* La cárcel puede ser como Purgatorio si tú cometes un crimen menor eventualmente saldrás pronto. De cualquier manera, si cometes un crimen mayor puedes estar encarcelado hasta que mueras, como el Infierno nunca saldrás de ahí. Gran parte de nosotros tenemos miedo a cometer errores en la vida que nos hacen caer en la cárcel o el Infierno en la Tierra. Aun así, si estás penado a muerte Dios todavía puede perdonarte, puedes pedir perdón y hacer penitencia. Todavía puedes salvarte aceptando a Cristo como tu Señor y Salvador y pedir ser perdonado. ¡Cristo vino por los pecadores! ¿Quién es justo ante los ojos de Dios? ¿No podemos determinar esto por nuestra cuenta?, una mirada mala a alguien con desprecio o juzgar mal a alguien nos hará caer en agua caliente, ¿qué más podemos hacer nosotros para mejorar nuestras oportunidades, para participar en el Reino de Dios? Seguir las escrituras. Si piensas que eres dueño de tu cuerpo, y crees que eso te da el derecho de hacer lo que quieras con él, como exhibiéndolo para perturbar a otros, o fornicando, o haciendo pornografía, etc. Solo te recuerdo que algún día tendrás que entregar cuentas de lo que hiciste con él.

En la crucifixión de Cristo los guardias le quitan su ropa y lo dejan desnudo. ¿Te puedes imaginar el desprecio tan grave que los guardias cometieron con el Hijo de Dios? *"De cualquier manera Jesús los perdona diciendo Padre perdónales porque no saben lo que hacen". LUCAS 23:24-34.* Aquí Jesús nos enseña a perdonar. A veces nos insultan o nos ofenden, pero tenemos que perdonar si queremos perdón de nuestro Padre. *MATEO 6:14-15. "Cuando Jesús fue crucificado otros dos hombres fueron crucificados con Él, pero el ladrón de la derecha se arrepiente y Jesús le asegura que estará con Él en el paraíso. Dimas, el ladrón que estaba en la cruz a la derecha, es el que se va al paraíso, mientras que Gestas estaba en una cruz a la izquierda y él blasfema y termina yendo al Infierno". MATEO 27:38, MARCOS 15:27-28, LUCAS 23:33 y JUAN 19:18.* No piensas en los que están encarcelados son abandonados, nosotros necesitamos orar por sus almas para que vayan al Cielo también. Si Dios puede perdonar tales transgresiones, ¿cómo nosotros no podemos perdonarnos los unos a los otros? Nosotros a veces tenemos que morir por el uno y por el otro. Cuando cometemos errores está en nosotros perdonar y empezar con una buena amistad. Nosotros tenemos que dejar que nuestro orgullo muera y olvidar las cosas que nos suceden. Si puedes ver las enseñanzas de Dios a Cristo y de Cristo a nosotros. Dios nos dio un sentido común para sobrellevar las transgresiones.

Jesús pagó el precio alto con su vida en hacerse el Cordero Sacrificado. ¿No te causa dolor por esta acción que él hizo para salvarte? Todo lo que se nos pide es tener una relación cerca de Dios. Necesitamos su *gracia* para realizar esta relación con Dios, es difícil de vivir, pero se puede lograr.

¿Qué significa estar en *gracia*? Es estar bien con Dios. Es el amor más incondicional, que Dios les da a todos. La *gracia* puede ser un permiso para vivir con rectitud. Déjame decirte, personalmente cuando pierdes esa *gracia* es tan doloroso para tu corazón. Es como si te convirtieras en un excluido. ¿Quién quiere ser un excluido de cualquier lugar especialmente ante los ojos de Dios para estar lejos de su presencia? Mi experiencia de vida ha sido una tortura cuando he perdido la *gracia*. Aunque tenemos la redención de Jesús esa es su herencia para nosotros redimirnos del pecado y obtener la absolución al confesar nuestros pecados y arrepentirnos de nuestra mala vida. No importa cómo nos juzguen los no creyentes porque pecamos y nos confesamos y volvemos a pecar de nuevo. ¡Encuentra la *gracia* de Dios! Solo hay un Dios, ningún humano en esta Tierra puede juzgarte. Puede que te sientas mal porque alguien te dice algo. Confía en Dios para tu existencia, no en aquellos que quieren echarte al Infierno. Tenemos a Jesús, Él ya pagó por nuestros pecados y es muy misericordioso, así que no sobreestimes su misericordia. Sigue a JESUCRISTO si quieres la redención, Él tiene el poder de hacerte justo ante los ojos de Dios.

La misericordia es otra de las grandezas de Dios, porque si tú quieres misericordia de alguien es muy difícil que lo consigas. Vivimos en un mundo difícil. Regresando a los tiempos de atrás, la gente quería ver sangre. Cristo fue encarcelado, golpeado y finalmente crucificado. JESUCRISTO no cometió ningún crimen contra nadie. El sacerdote influyente en ese momento el Sanedrín, acusó a Jesús de hacer afirmaciones falsas, de ser Hijo de Dios. El sumo sacerdote en ese momento Ananías, no era un creyente o seguidor de Cristo, sino que veía a Cristo como un desafiante de la ley de Moisés. Más importante aún es afirmar cuán misericordioso es Jesús y estuvo en contra de este pueblo.

En aquellos días Dios no tomaba bien a los que le ofendían, había un hombre llamado Ananías. Ananías, y su esposa mintieron al Espíritu Santo, sobre la propiedad que vendieron. Las ganancias deberían ser entregadas a la Iglesia primitiva. En ese mismo momento después de que Pedro, le preguntó por qué le mentía al Espíritu Santo cayó muerto. La esposa de Ananías aparece más tarde ante Pedro y sin saber lo que le sucedió a su esposo, Pedro le pregunta: ¿Vendiste la propiedad a un precio determinado? Ella respondió: "Sí" y él le pregunta: "¿Por qué le mientes al Espíritu Santo?" Pedro le dijo que los hombres que acaban de enterrar a su esposo, también te llevarán a ti, ella también cayó muerta *HECHOS 5:1-11.* ¿Por qué mentir? ¿Acaso ellos no sabían que Pedro estaba lleno del Espíritu Santo? Ellos tuvieron la oportunidad de quedarse con todo el dinero de la venta. Dios conoce tu corazón, más de lo que tú puedes conocerte a ti mismo. Si vas a ofrecerle algo a Dios, entrégale todo y no titubees.

En aquellos tiempos esta era la manera de financiar o de aportar fondos para la Iglesia; cubrían los gastos y ayudaban a las familias. Era como sobrevivían los primeros Cristianos. Dios es misericordioso, considérate afortunado de que no te quita la vida cuando le ofendes. Algunos quisieran hacer esa pregunta, pero ya sabemos la respuesta a través de la FE. Jesús pagó con su vida en la cruz al ser crucificado, así que cuando nos arrepentimos, confesamos nuestros pecados y nuestros pecados, ¡son perdonados! ¡Bendito sea Dios por el sacramento de la reconciliación! En el tiempo de David, Uzzah fue herido a muerte por Dios quitándole la vida, por tocar el Arca de la Alianza con las manos impuras. El Rey David estaba enojado con Dios porque fue un castigo muy severo, pero Dios da instrucciones específicas y precisas. La desobediencia nos mata. En los tiempos de Moisés los levitas tenían que purificarse antes de entrar en la tienda de Dios. Solo a los sacerdotes levitas, se les permitían entrar a la tienda de Dios, solo una vez al año se les permitía que los sacerdotes levitas entraran en la tienda de Dios donde se encontraba el Arca de Dios. El día de los ofrecimientos por los pecados, los sacerdotes, eran los únicos que podían entrar en la tienda de Dios. El sacerdote, entraba con incienso, y rociaba con sangre el altar del Arca de Dios. La sangre era de los novillos u ovejas que se hacían en holocausto a Dios para el perdón de los pecados. La muerte de Uzzah y de los hijos de Aaron fue para demostrar que Dios, es Santo y que sus mandatos son verdaderos.

Sus mandatos eran precisos de seguir según él pedía que se hicieran las cosas, no es al hombre, a quien le toca decidir cómo debe ser el culto a Dios. Los pensamientos del hombre no le rinden honor a Dios ni a su gusto; si no hacen la voluntad de Dios, todo es vano. Jesucristo lo dijo claro y preciso cuando dijo: *"¡Porque yo he bajado del cielo, no para hacer mi voluntad, sino la voluntad del que me ha enviado!" JUAN 6-38.* JESUCRISTO ES EL ÚNICO SACRIFICIO QUE LE AGRADA A DIOS PORQUE EL ES LA OVEJA SIN MANCHA Y SIN PECADO.

La misericordia, de hoy nos es dada porque Jesús renueva todo. Nosotros a veces encontramos la vida difícil, renegamos de todo. Nos perdemos fácilmente y perdemos la FE. Nosotros fallamos en obtener la misericordia, que se nos da a través de JESUCRISTO. Cuando nos encontramos en peligro JESUCRISTO nos salva. El 20 de diciembre del 2010, sufrí un accidente cuando iba manejando un camión de dieciocho ruedas. El accidente ocurrió cerca de donde yo vivía, Columbus, Texas. En ese tiempo yo paré y pasé por Houston a descansar y recoger a mi hijo Brandon que tenía seis años en ese entonces. Ese día pasamos el día con la familia, fuimos a la Santa Misa y después a cenar toda la familia, posteriormente fui a descansar un poco. Como no pude conciliar el sueño, decidí continuar el viaje y llevarme a mi hijo conmigo. Él se estaba comportando un poco mal, lo llevé y lo coloqué en el dormitorio del camión y lo aseguré. Mi hijo me dice: "Papi, yo me quiero ir sentado enfrente contigo". Accedí a su petición y lo paso al frente conmigo, aseguré su silla de bebé y me preparé para continuar el viaje. Pronto se quedó dormido y yo continué el viaje junto a mi hijo, apenas teníamos una hora de camino y yo me sentí fatigado. No sé cómo sucedió, fue en cuestión de segundos que perdí el control y me estrellé en los rediles de un puente, el camión queda volteado del lado del chofer. Íbamos rumbo a San Antonio Texas, pasó lo inesperado. La carga tenía que ser entregada el día siguiente y no llegué a mi destino.

En el accidente sufro varias lesiones, la mano estaba quebrada con los dedos quebrados, mi rodilla izquierda estaba fracturada, mis pulmones se llenaron de sangre y tengo vidrios incrustados dentro de mi cuerpo. Mi hijo sobrevive al accidente sin ninguna lesión física. Después de todo lo ocurrido me llevan al hospital de Houston, Texas por helicóptero. Sentí que esto fue una gran bendición de Dios porque estábamos vivos mi hijo y yo. Las cosas nos pasan a veces por desviarnos de nuestra FE. Esa tarde mi hijo y yo andábamos en un lugar buscando algo que una joven me había pedido, era algo demoniaco porque encontré figuras de dragones y cosas para adorar a Satanás, ella era una mujer joven que adoraba la muerte. Ahora pienso que Dios no me permitió llegar con ella jamás porque mi vida y mi alma se perderían y sin darme cuenta, ¡¡llevaba a mi hijo por ese camino!! ¡GRACIAS PADRE CELESTIAL POR NO PERMITIR ESTO QUE YO QUERÍA HACER! Dice Jesús: "Es mejor que entres al Cielo sin un miembro de tu cuerpo a que tu alma se pierda". Hoy en día tengo mi mano derecha amputada y mi pie izquierdo amputado y glorifico a Dios

El accidente sucedió así: el camión se me desvió para el lado izquierdo, y choqué en los protectores del puente. Por poco caemos en un embarcamiento vacío hondo que hubiera terminado en tragedia total donde hubiéramos perdido la vida. En verdad no recuerdo bien lo que ocurrió. Perdí el conocimiento y chocaba con las barreras de un puente, según me dijeron después que en la carretera estaba el cadáver de un venado y no supieron si el venado causó el accidente. El camión quedó totalmente destruido (pérdida total) y yo totalmente lesionado lo cual me llevó meses de recuperación física y psicológica, después de casi un año, sobreviví y estoy vivo para contarlo. ¿Se preguntarán si Dios hace **milagros** todavía? Los hace y los hace grandes estoy convencido de que Él es el mismo de hace dos mil años. Yo soy un **milagro**, pero el nacimiento de Cristo, el nacimiento de su Madre, María la crucifixión y la resurrección son incomparables. ¡GLORIA A DIOS POR MI VIDA HOY Y SIEMPRE! ¿Dudan del amor de Dios? ¿Creen que la mayoría pasamos por lo mismo? ¿Cómo puedes dudar con una FE débil o nada de FE? Pero si regresamos a Cristo Él sabe mejor que nadie qué es lo que nos conviene. Por la misericordia de Dios, mi hijo se salvó de esa tragedia, hoy gracias a Dios tiene diecisiete años es un joven hermoso y lleno de vida, LO AMO CON TODO MI CORAZÓN, ÉL SIEMPRE SERÁ MI BEBÉ, BRANDON LEE VÁSQUEZ.

Dios tuvo misericordia de mí, porque aún sigo viviendo. Yo me estaba haciendo cargo de siete hijos. Mi sobrevivencia era necesario para cuidar a mis hijos. Dos hijos eran de mi matrimonio anterior, tres de mi mujer de otra pareja y dos de ellos con mi mujer. "YO ME CONSIDERO UN **MILAGRO** CAMINANTE". Fue triste y desesperante, que me amputaran la mano, pero mi vida fue salvada por Dios. Así que te puedes preguntar si alguna tragedia iguala la misericordia de Dios, pues yo te digo que no lo hay, prueba de esto estoy vivo. La mano de Dios estuvo ahí eso es claro y evidente, mi FE fue estremecida, solo así pude regresar a Dios con más ganas y sobre todo con decisión y convicción de perseverar. Yo no era de estar en comunión con Dios, andaba extraviado. Como si estuviera jugando con la muerte, mi vida fue salvada una vez más. Te pregunto a TI: ¿Puedes ver TU misericordia en esta tragedia? No tengo claro exactamente cómo ocurrió el accidente, pero lo que sí tengo claro es que Dios realizó un **MILAGRO** en mí, me salvó y me dio un corazón nuevo. Fue algo horrible y desesperante, fue como una pesadilla, o más que eso. Porque con la pesadilla, en el fondo de ti sabes que vas a despertar. Pero esto es real porque nada más se sentían los golpes de hierro contra los protectores y no pude hacer nada para evitarlo. La lección que te puedes llevar de mi tragedia es: Que tú no tienes el control de tu vida cuando estás en peligro. Por eso JESUCRISTO dice: "Estén preparados, porque el ladrón está acechando a la vuelta".

A veces pensamos que Dios no existe y no está ahí, pero cuando más lejos crees que está, es cuando más cerca está, te lleva cargando en sus brazos. Jesús debería de causarte muchas lágrimas porque, ¡no te imaginas lo mucho que Él te ama! Después del accidente me enamoré de JESUCRISTO, era como un recién nacido en Cristo. Mi familia y yo tuvimos un retiro de sanación interior. En dicho retiro tuve mi encuentro con JESUCRISTO.

Nosotros estábamos perseverando en la FE, cada jueves a las diez de la noche. Nos congregábamos con un grupo en la Iglesia de San Bartolomé en Katy, Texas. Ahí nosotros orábamos, haciendo una devoción A LA PRECIOSÍSIMA SANGRE DE JESUCRISTO. Las oraciones de La Preciosísima Sangre de Jesucristo prometen que no tendrás una muerte repentina y podrás arrepentirte de tus pecados. Creí esas promesas y era un caminar nuevo para mí, Cristo me salvó la vida y me dio otra oportunidad. Las oraciones siempre son escuchadas por Dios y son una buena palanca para perseverar en la FE. Las oraciones son necesariamente para sobrevivir diariamente hasta que Dios nos llame. Te levantas y caminas con FE y vas a todas partes orando sabiendo que nada te ocurrirá y si te llegara a ocurrir algo, tenemos la convicción de que Dios está con nosotros, como San Pablo dice: *"Además, sabemos que, si amamos a Dios, Él hace que todo lo que nos pasa sea para nuestro bien. Él nos ha llamado de acuerdo a su propósito". ROMANOS 8:28.* Si empiezas con el Altísimo tu día, bendecido serás. Pídele a Dios que te ponga su sello divino para que te acompañe en tu caminar y dale gracias por todo lo que te ocurra bueno o malo. Hay cosas que para nosotros son malas, pero para Dios son un recordatorio del sufrimiento de Jesús en la cruz. JESUCRISTO dejó numerosas enseñanzas a través de su sufrimiento en la cruz: Si te caes, levántate; si pecas, confiésate; si te dan un golpe, pon la otra mejilla; sufre por los demás y carga tu cruz, aun con la carga de los demás.

Todo esto te puede causar molestias y cuestionar tu FE, pero pregúntate qué necesitas hacer para perseverar, haz un examen de conciencia. ¿A quién quieres a tu lado? ¿A Dios o a Satanás? No escojas a Satanás. Satanás está por todas partes, él fue echado del Cielo y no quiere que tú entres en el lugar donde él estaba. Orando y con FE llegaremos a la tierra prometida, Jesús dijo: "En la casa de mi Padre hay muchas moradas". Nosotros estamos llamados a la vida eterna. ¡Él ha preparado una fiesta donde todos estamos invitados, pero se requiere que vengas de traje! Revestido de la FE, de la *gracia* de Dios y sin mancha.

El maligno, ¿tú te has preguntado por qué Dios permite lo malo? La respuesta es que Dios nos ha dado libre albedrío y podemos hacer muchas cosas sin medir las consecuencias. ¡A veces no sabemos lo que hacemos, y lastimamos a los que nos aman con nuestras acciones y tragedias o cosas que nosotros lo vemos mal, si nosotros lo vemos mal cuanto más Dios lo ve mal! Satanás no pierde el tiempo, aprovecha cualquier oportunidad para hacernos caer y cometer pecado, ejemplo una pelea sin razón, venganza, matar (las palabras matan también), robar, injuriar, malas palabras, insultos, etc. y la lista no termina. *"Satanás es el león rugiente, suelto en el mundo para hacer que pierdas tu alma. Jesús se refirió al Infierno como la Gehena ahí habrá rechinar de dientes, en donde el gusano nunca muere y los azotes son eternos." MATEO 13:50.* Jesús siempre habló con la verdad y hablaba del Infierno donde el fuego nunca se apaga, ni el gusano nunca muere, y ahí será el rechinar de dientes eternamente. Tienes que estar listo para el embarque y mantenerte en la *gracia* de Dios. A nosotros se nos ha dado el sentido común, además muchos otros regalos para alcanzar la vida eterna, pero para obtener eso tenemos que escuchar la voz de Jesús. Había un hombre que era sordomudo, su voz no era clara, él le pide a Jesús que lo cure. "Jesús lo apartó de la gente y le metió los dedos en los oídos y con su saliva le tocó la lengua. *Jesús miro al cielo y dijo "EFFETA" que significa ÁBRETE. Al instante se le abrieron los oídos, se le desapareció el defecto de la lengua y empezó hablar". MARCOS 7:34-35.*

Tenemos otras limitaciones, pero debemos escuchar a Cristo para oír la palabra de Dios. ¿Cómo no deberíamos de seguir a Cristo Rey? ¿Escuchamos lo que nos conviene? O le seguimos a nuestra manera. Hoy en día es más fácil escoger una cantina en lugar de una Iglesia.

¿Qué es una Iglesia? ¿Una Iglesia no es un edificio? Nuestro cuerpo es la Iglesia. ¡Nuestro corazón es el tabernáculo de Dios es la casa donde él mora! Dios nos regala esa *gracia*, así que imagínate cuando perdemos esa *gracia*, entristecemos al Espíritu Santo. Es como dejar a Dios fuera de su hogar y nosotros perdemos la *gracia* de estar en comunión con Él. DESOBEDIENCIA, ¿cuántas veces arruinamos todo tipo de relaciones? Empezando con Adán y Eva, ellos pierden la comunión con Dios por comer del árbol de la vida, el árbol PROHIBIDO. "Dios les dio el Paraíso y lo tenían todo, pero la tentación y Satanás que hizo caer a Eva y ella a Adán. Luego Dios les pregunta por qué desobedecieron y Adán culpa a Eva y ella culpa a la serpiente. ¡SER-SATANAS, PIENTE SERPIENTE, PIENTE-MIENTE! Pero Dios nos dio libre albedrío, de hacer lo que queramos. Fue una responsabilidad grande para Adán y Eva. Pregunto: Dios les advertiría acerca de Satanás que es un perturbador, astuto, mentiroso y que no descansa para acecharnos. Nosotros, podemos decir que ellos no actuaron bien, juzgándolos, pero nosotros estamos igual o peor que ellos. *"Dios Altísimo llamó al hombre y le preguntó: ¿Dónde estás? ¿Quién te dijo que estabas desnudo?" GÉNESIS 3:9*

Tenemos una responsabilidad grande de aprender estas virtudes de la vida con Dios. *"Que los Cielos y la Tierra escuchen y recuerden lo que acabo de decir; la bendición o la maldición. Escoge, pues, la vida para que vivas tú y tu descendencia." DEUTERONOMIO 30:19.* Dios nos ha dado libertad para escoger el bien o el mal, está en nosotros elegir que hacer. En los tiempos de Adán y Eva, ellos recibieron muchos regalos de virtud, pero Satanás viene y se los roba, así también viene Satanás ahora endulzándonos el oído, inventando otras sectas, en otras palabras son doctrina de hombres, es fácil ignorar lo que Nuestro Señor Jesucristo le dijo a Pedro: *"Y ahora yo te digo: Tú eres Pedro (o sea Piedra), y sobre esta piedra edificaré MI IGLESIA" MATEO 16:18.* Es la Iglesia que tiene todo y no le falta nada, Jesús al morir dice "PADRE TODO está CONSUMADO." No necesita doctrina de hombre para añadirle más o quitarle. ¿Qué estaba pensando Eva cuando estaba sola con Satanás? A veces estás solo y es cuando Satanás te roba lo que JESUCRISTO te regaló, no dejes que una persona fuera de tu FE te hable bonito. Dile: ¡Fuera de aquí, Satanás! Al leer Génesis, no dice que Adán y Eva sabían que Satanás existía. Excepto lo que estaba prohibido, esto era la clave "PROHIBIDO". ¿Les diría Dios que era pecado? ¿O sería sentido común saber qué era malo? ¿Y eso lo llevaría a la desobediencia y los pondría mal con Dios?

Eva desobedece y come del árbol de la vida que era un árbol de manzanas del que Dios les prohíbe comer. También invita a Adán a comer del árbol prohibido. ¿A nosotros que es lo que nos conduce a pecar? La pregunta es: ¿Quién te lleva a pecar? ¿Qué es lo que tienes que perder? ¿Qué es importante para ti? ¿Te has preguntado por qué estás aquí en la Tierra? ¿O para qué te escogió Dios? Bueno pues tienes, su amor, su misericordia, su amistad, su guía, su poder, el libre albedrío. Recuerda que estamos hechos a imagen y semejanza de Él. Tú puedes elegir hacer el bien o el mal, tú puedes elegir guiar a otros a lo bueno o a lo malo. Podemos preguntarnos qué podemos hacer para no cometer errores. También nosotros tenemos tentaciones como las tuvieron Adán y Eva. No debemos juzgarlos, pero sí podemos aprender del Maestro JESUCRISTO podemos guiarnos de su ejemplo. Jesús también fue tentado por Satanás y lo venció. Por eso San Pablo les dice a los Efesios: *"Vístanse de toda la armadura de Dios, para que puedan hacer frente a las intrigas del Diablo".EFESIOS 6:10-20.* También nosotros seremos tentados, tenemos cosas prohibidas y más leyes de las que tuvieron Adán y Eva.

"Jesús fue guiado por el Espíritu Santo, al desierto y ayunó por cuarenta días y cuarenta noches, al fin de los cuarenta días, a Jesús le dio mucha hambre". *MATEO 4:1-11.* Satanás sabiendo la condición de Jesús, viene a tentarlo y ¿Dios Padre le permite esto a Satanás? Jesús siendo Hijo de Dios es puesto a prueba. Satanás le dice a Jesús: "Si eres el Hijo de Dios convierte estas piedras en pan". Jesús le respondió: *"No solo de pan vive el hombre, sino de toda palabra que sale de la boca de Dios".* Satanás lleva a Jesús a lo alto del templo y le dice: *"Si tú eres Hijo de Dios, tírate de aquí abajo, pues dicen las Escrituras: Dios ordenará a sus ángeles que te protejan; y también ellos te llevarán en sus manos para que tus pies no tropiecen en ninguna piedra".* Jesús replicó, también dice la Escritura: *"No tentarás al Señor tu Dios".* Lo llevó después el Diablo a un lugar más alto, le mostró en un instante todas las naciones del mundo y le dijo: *"Te daré poder sobre estas naciones, y sus riquezas serán tuyas, porque me las han entregado a mí y yo las doy a quien quiero. Si te arrodillas y me adoras, todo será tuyo".* Jesús le replicó: *"La Escritura dice: Adorarás al Señor tu Dios y a Él solo servirás".* Satanás creyéndose astuto, como si no supiera que todo es de ¡JESUCRISTO! El mundo y todo lo que en él hay. Dios creó todas las cosas, ¿cómo Satanás pudo creer que JESUCRISTO podía caer en su engaño? Si se atrevió a tentar JESUCRISTO, sabiendo que es Hijo de Dios, perfecto, sin mancha, ¿consideras que no la va a hacer con nosotros y hacer que perdamos el Paraíso eterno?

Recuerda siempre que Satanás siempre va a querer que tú reniegues de tu FE, no se lo permitas, no dejes que te robe lo que Dios te ha dado porque tú también eres Hijo de Dios y estás llamado hacer cosas mucho más grandes y mejor aún estás llamado a la vida eterna.

Finalmente, Satanás deja a Jesús y sus Ángeles se encargan de Él. ¿Acaso Dios no se encarga de nosotros después de las tribulaciones y tentaciones y salimos triunfantes? Dios dice que la *gracia* que nos da es suficiente, porque tenemos libre albedrío. Jesús estuvo en ayuno por cuarenta días y cuarenta noches y fue tentado por el demonio y nosotros pensamos que eso es mucho para nosotros, porque no ORAMOS. Jesús pasó sin comida y sin agua por cuarenta días y cuarenta noches. Nosotros no podemos perdernos ni siquiera una cena. En verdad espero que este libro sea como una cubeta de agua fría con hielo que te caiga sobre tu cabeza para que despiertes, así como hacen en un juego de futbol americano. Vacían un contenedor de agua con hielo en la cabeza de su entrenador. A ver si de esta manera despiertas y te regresas a tu FE Cristiana en la Iglesia Católica. CRISTIANA LA ÚNICA IGLESIA DE CRISTO LA CUAL LLEVA SU NOMBRE. Pregúntate si Dios Padre le dejo a Jesús la Iglesia con todo el mundo y lo que contiene, ¿por qué llevaría otro nombre? Los nombres de las otras Iglesias tienen el nombre de hombres que la fundaron. ¿Acaso ellos fueron clavados en la cruz? La tentación existe por todos lados y todos se olvidan de Dios y no les importa lo que les puede pasar, así vayan al Infierno "o" al Purgatorio a quejarse, en llanto por dejar todo para última hora. La desnudez está en todas partes, no sabiendo que es algo vergonzoso y pecaminoso, pero como lo encontramos llamativo, no nos importa y así de fácil lo compramos. Nuestro cuerpo es sagrado porque es el tabernáculo del Espíritu Santo.

Como si no fue suficiente crucificar a JESUCRISTO, le arrebataron su ropa, le escupieron, lo azotaron, lo humillaron, se burlaron de Él. Es fácil hacer excusas para correr desnudos con sus estúpidos concursos de ¿a ver quién tiene el mejor cuerpo? Nuestro cuerpo es sagrado porque nuestro corazón es el tabernáculo del Espíritu Santo. Como dijo San Pablo: *"Todo está permitido, pero no todo me conviene. Todo está permitido, pero no todo me hace bien".* 1-CORINTIOS 10:23. Somos tentados, pero podemos abstenernos, nadie dijo que es fácil, tenemos una guerra civil con el demonio.

¿Acaso alguien siente un peso en su cuerpo? ¿Qué piensas que tu alma es? ¿De verdad tenemos un alma? ¿Qué es lo que crees entonces? ¿Por qué tenemos una conciencia? ¡Haz un examen de conciencia! ¿Por qué nos molesta la conciencia? ¿Lo malo y lo bueno nos hacen reflexionar? Deberemos tener paz en nuestro interior, desafortunadamente esto nos ocurre a diario. Si tenemos un alma y nos pesa el cuerpo pecador, se siente muy pesado cuando tenemos problemas. Hay momentos difíciles en el trabajo, en la casa, en el lugar donde nos desenvolvemos e incluso en la propia Iglesia. Diferentes situaciones que nos causan dolor, nuestra mente se molesta. JESUCRISTO es la solución, Él mueve los pensamientos para resolver los asuntos, que están fuera de nuestro control. Todos necesitamos ayuda, pero si no pedimos ayuda, o no permitimos ser ayudados, podemos perder nuestra FE. Podemos quebrantar cualquier persona incluso a las personas que amamos. Podemos ser groseros con las personas, ¿todo por qué? Porque vivimos sin Dios o vivimos de espalda a Él y eso nos hace inhumanos. Benditas son las personas que viven en Dios, ellos marcan la diferencia para que este mundo sea mejor. *"Como dicen la salvación de muchos es la perseverancia de pocos"*. ¿Sabes por qué te digo esto? Es porque esas pocas personas que están perseverando están orando por ti, para que todos se salven. *"Pero yo les digo: Amen a sus enemigos y recen por sus perseguidores, para que así sean Hijos de su Padre que está en los Cielos. Porque Él hace brillar su sol sobre malos y buenos, y envía la lluvia sobre justos y pecadores"*. *MATEO 5:44-45.*

Continuando con las tentaciones, ¿cómo deshacerse de ellas? Es a través de la oración, una y otra vez oración y oración, la oración es muy poderosa. La oración es **milagros**a. La oración la podemos difundir como algo que hace que las cosas pasen o desaparezcan con la *gracia* de Dios. Dios hace que todo lo malo corra fuera de ti. Por el Bendito nombre de Jesús, el demonio corre de miedo cuando pides que se aleje de ti. Recuerda que Dios te ha dado libre albedrío, ¡tú decides! Tentación, solo son ¡tentaciones!, eso no significa que tenemos que hacer lo que la tentación nos está pidiendo. Nosotros podemos imitar a JESUCRISTO. Es bueno, que en cada tentación te preguntes que haría JESUCRISTO en tu lugar. Si Jesús no lo haría, entonces, ¿por qué lo harías tú? Sabemos que todo esto existe, escuchamos muchas cosas por ahí, pero lo que tenemos que hacer es escuchar nuestra conciencia. El Espíritu Santo siempre está con nosotros y nos impulsa a hacer lo correcto.

Nuestro ángel de la guarda también está ahí para llamar la atención de nuestra conciencia. La mayor cosa es venir con JESUCRISTO para ser redimido. Cualquier cosa es mejor que lo hagas con Dios. No puedes hacerlo solo. Trata de vivir sin Dios y verás que todo sigue igual. Como que las cosas siguen su propio rumbo, es como que ya hay un patrón de la vida, como por ejemplo hoy es lunes y por inercia sabemos que mañana va a ser martes y nos creemos dueños de la vida. Nada pasa porque sí, hay personas en todo el mundo orando para que seamos siempre bendecidos. Es mejor vivir en *gracia* de Dios. Aunque no pidas, hay personas orando las veinticuatro horas del día. Por todo el mundo están orando por la creación, por la paz, por los gobernantes, por alimentos y para cualquiera que se quiera acercar a Dios. Hay muchas preguntas, que queremos hacer y todas las respuestas están en las Sagradas Escrituras. Muchas preguntas tendrás que preguntarle a Dios cuando estés cara a cara con Él. Esperemos que no sea demasiado tarde. Porque Él dice: "Hoy es el día". ¿Te has tomado tu tiempo para hablar con Él hoy? Él quiere hablar contigo todos los días y darte su misericordia, su bondad, su providencia y su amor. ¿Sabes? Estas respuestas están a la vista, pídele a Dios que te revele lo que quieres saber. Estamos todos ligados, todos del uno al otro, pensamos que somos diferentes o no concordamos en muchas cosas. ¡Somos seres humanos! Todos estamos en esta vida, juntos y tenemos que coexistir.

Hay instantes en que tenemos que dejar que otros nos ayuden en nuestras actividades diarias. Tenemos todo y no nos cuesta nada, y todavía somos flojos que no queremos hacer nada. La Cristiandad es gratis, y, aun así, ¡esperamos que las cosas nos sean puestas en las manos! Nosotros venimos de un linaje que tenemos que trabajar. La *gracia* de Dios provee todo lo que necesitamos, pero necesitamos mover nuestras manos para escarbar y labrar la tierra, regar con agua las semillas para que den fruto, y después arrancar las bendiciones que Dios nos regala. Hay tantas cosas que podemos arrancar de las manos de Dios para vivir una vida en *gracia*. Dios siempre tiene las manos abiertas para regalar muchas bendiciones y darnos mucho más de lo que merecemos. Nos llena de su Espíritu, si nunca lo has sentido en ti, es como si Dios no existiera. Una persona dio un testimonio, dijo haber vivido un retiro espiritual, dijo: "Yo fui a ese retiro y no sentí nada". Hay personas que sí sentimos algo y es tan grandioso porque la FE, no se puede ver, se manifiesta, pero no se puede ver. Como tampoco el Espíritu Santo se puede ver. La persona sigue contando que después su vida cambió poco a poco y empezó a ir a la Iglesia más frecuentemente, empezó hacer más oración, empezó asistir a Misa entre semana con más frecuencia. A muchos nos pasa esto, ella no se dio cuenta, cuando el Espíritu Santo estaba obrando en ella. Su corazón estaba lleno del Espíritu Santo, porque cuando lo tienes, quieres más y más de Dios, y lo buscas de diversas maneras. Jesús dice: "Pide y se te dará". Todo lo que pidas hazlo en el nombre de JESUCRISTO.

¿Qué es lo que necesitas para obtener FE, y sumergirte en la Gloria de Dios? ¡Tienes la palabra y mi testimonio para guiarte! Todos tenemos una gran responsabilidad, especialmente con la familia y tus seres queridos, ante todo con Dios. Nosotros no tenemos derecho a nada, tenemos muchas oportunidades, pero es porque Dios nos ama. Nos encontramos vacíos, ¿tú sabes lo que hacen los Cristianos? Los Cristianos van a la Iglesia, y en sus casas invocan el nombre de Dios para todo, por el **milagro** de un nuevo día, por su jornada laboral, por sus alimentos y por todo lo que les inquieta lo hacen a través de la oración. ¡Se llenan de Dios una y otra vez! Hay oportunidad de hacerlo las veinticuatro horas del día, Dios no descansa, Él está atento a tus necesidades. Cristo te escucha cuando oras. ¿Qué más quieres? Tienes el poder de enchufarte, como si fuera un teléfono, ahora todos tienen un teléfono. Esto es simbólico para que veas como un teléfono te conecta a grandes distancias y al instante escuchas la voz de la otra persona que está a pocas millas, como a miles y miles de millas de distancia. Ahora, no ves nada cómo te conectas, ni miras a la otra persona, así es con Dios tú llamas y Él te escucha y te habla a través de tu conciencia y pensamiento y si Él quiere te manda un mensajero. Ahora bien, Dios no tiene contestadora automática, te imaginas que llames y te contesta la operadora, diciéndote: *"Su llamada va a ser atendida según el orden que llamó, tiempo de espera cuarenta y seis minutos"*. Todos tenemos la oportunidad de hablar directamente con Dios a través de la oración.

Por eso JESUCRISTO, nos dejó a Dios Espíritu Santo. Jesús dijo: *"En realidad, ustedes les conviene que me vaya. Porque si no me voy, el Espíritu Santo que los ayudará y consolará no vendrá; en cambio, si me voy, yo lo enviaré". JUAN 16:7.* "DIOS CON NOSOTROS EL EMMANUEL". Nadie abandona su teléfono, nosotros le cortamos la señal, para hacer lo que se nos dé la gana. Dios debe ser el primero, en todo, su señal tiene la mejor antena parabólica, su señal nunca se cae. La línea nunca está ocupada. A veces hay un atraso, ¿puedes preguntarte por qué? Tal vez no estás listo todavía para recibirlo. Hay cosas que se retrasan, pero no pierdas la FE, sigue orando hasta que lo consigas. ¡Puede ser que ese momento no sea adecuado para ti!

"Las bodas de Caná, Jesús dijo que no era su tiempo, pero su madre María vio la necesidad. María les dijo a los servidores: 'Hagan lo que él les diga'." Fue el primer **milagro** que Jesús realizó. Aunque Jesús estaba dudando, se sintió obligado por su Madre María, Jesús sentía que todavía no había llegado su tiempo. El tiempo para Jesús era vital, nuestra Madre Santísima llena del Espíritu Santo sabía quién era su Hijo. El Espíritu Santo obra a su debido tiempo, aunque Jesús dijo que aún no era su tiempo obedeció a su Madre María. El Espíritu Santo inspiró a María Santísima para que le pidiera a Jesús que realizara el **milagro**". *JUAN 2:1-11*. Las madres también tienen ese conocimiento del saber cuándo se debe actuar. Nosotros a veces tenemos miedo de tomar la iniciativa de iniciar algo, dudamos. Por eso primero tenemos que gatear antes de caminar. Jesús fue inspirado por su Madre y el Espíritu Santo obró en Jesús. Tal vez el Espíritu Santo siendo Dios sabía que ese momento era una gran enseñanza para sus discípulos para que creyeran en Jesús como el MESÍAS (El Salvador enviado por Dios). Jesús es el Hijo de Dios. Estuve reflexionando mucho cómo escribir estas palabras para glorificar a Dios, para las personas que todavía dudan y no quieren abrir su corazón a JESUCRISTO. Aunque lo creas o no yo estoy poniendo de mi parte lo que me toca. Esto que escribí fue algo que fue recomendado a mí, yo he dicho a Dios un SÍ, para que me utilice como él quiera. Cada vez que se termina la ceremonia de la Santa Misa, somos enviados a glorificar a Dios a través de nuestras vidas. Es un mandato.

Somos enviados a pregonar (publicar en voz alta, para que sea conocida por todos) la palabra de Dios. No sabemos los frutos que su palabra regresará, pero tenemos esa responsabilidad. Si somos el cuerpo de Cristo entonces necesitamos ser sus pies, sus manos, su voz para llevar su palabra. Una sola palabra de Dios puede dar fruto sin fin, no conocemos los corazones, que es lo que el Espíritu Santo les va a inspirar. Dios llena los corazones con su *gracia* necesaria para dar frutos y así poder dar Gloria a Dios. Dios bendice abundantemente aquellos que hacen su voluntad. El dinero es necesario sí, pero no es lo más importante. Puedes escoger complacerte aquí, pero aquí en la Tierra, *"nada es para siempre, todo pasa "o puedes escoger el Cielo donde todo es para siempre, es el eterno Paraíso. Cosas que ojo no vio, ni oído oyó. "Ni han subido en corazón de hombre. Son las cosas que Dios ha preparado para los que le aman".* CORINTIOS 2:9. Ahí es donde de verdad importa ahí es donde yo quiero estar. Yo no quiero irme al Infierno *"donde el gusano no muere, y el fuego nunca se apaga".* MARCOS 9:48. Lo que yo les digo que haré mucha oración para todo aquel que lea este libro, para que encuentre el camino y tenga una verdadera conversión para que obtenga la vida ETERNA. Dios puso nuestras almas en manos de Jesús. ¿Crees que a Jesús le gustaría perder una de sus ovejas o crees que le da igual? Claro que no, le duele, pero te toca a ti elegir. ¿Por qué Jesús te sale a buscar? Él deja las noventa y nueve ovejas para ir a buscarte y cuando te encuentra "se alegra"por tener ese encuentro contigo.

Diario nos extraviamos en el camino. Nosotros pensamos que sabemos qué es mejor para nosotros, por eso perdemos el enfoque de nuestra FE. ¿Quién sabe mejor? "Abraham fue probado a sacrificar a su hijo Isaac y Abraham teniendo una FE total se obligó. Estaba listo para sacrificar a su hijo, todo por la FE en Dios". *GÉNESIS 22*. Por la **gracia** de la FE en Dios, todos tenemos las mismas oportunidades y ni siquiera queremos sacrificar nuestro pecado. Necesitamos saber escoger las cosas buenas, elegir a Dios sobre todas las cosas. Seguiremos pecando, pero tenemos un confesionario. Arrepiéntete de tus pecados y pide misericordia por tu alma. Tu alma es lo que importa, recuerda que solo un alma tenemos, si la perdemos no la recuperaremos. Hay una vida eterna, sí. Pero puede ser un eterno Paraíso, o un eterno Infierno.

Un sacerdote dio una charla una vez usando como ejemplo un teléfono. Dijo: "Entabla una comunicación con Dios y descarga todas tus preocupaciones. Abandona todo para que enfatices tu comunión con Dios". Nosotros utilizamos el teléfono para muchas cosas, pero también hacemos mal empleo de él. Hay mucha gente rica que hace muchas cosas malas con la tecnología. Ellos fuerzan cosas a la sociedad, que son abominables, a los ojos de Dios. Dios nos da la *gracia*, para discernir el bien o el mal, aunque a veces es difícil de alejarse de esas cosas y sacar fuerza extraordinaria para elegir el bien para no ofender a Dios. María Faustina Kowalska es una monja que escribió un libro sobre la Divina Misericordia de Dios. Ella fue trasladada al Infierno acompañada de Jesús, para que mirara las almas perdidas en el Infierno. Había ahí, aquellos que todavía no estaban ahí. Pero miró a los que arrastran a los demás. Cuando hacemos cosas malas, por ejemplo, esas páginas electrónicas que promocionan pornografía y fornicación, ellos arrastran al hombre al Infierno. Oren, por el arrepentimiento de todos aquellos que caen en el pecado de la pornografía especialmente por los jóvenes que son inocentes y son arrastrados a ver esas abominaciones. Estas páginas, que corrompen deberían de ser destruidas, pero pensemos que la *gracia* de Dios es la mejor arma contra el pecado. Tenemos que balancear que importa más, eso o tu Salvación. No necesitamos que estas imágenes abominables nos arrastren al Infierno.

No hay manera de ir al cielo si eres condenado, ya no va a haber más misericordia. Ahora tienes la oportunidad de arrepentirte. Aléjate de todo lo que te aparta de JESUCRISTO. *"Procuren estar en paz con todos y progresen en la Santidad, pues sin ella nadie verá al Señor".* HEBREOS 12:14

Había un hombre rico que se fue al Infierno y él quería que se le advirtiera a su familia para que no vayan al Infierno. La respuesta de Dios fue: "Muchos profetas han sido enviados a través de la historia". Nadie quiso escuchar las advertencias, que los profetas anunciaban, todos los profetas fueron matados. JESUCRISTO es el que más es recordado en la historia. JESUCRISTO ES PROFETA, SACERDOTE, REY, DIOS Y HOMBRE a la vez. Hijo de Dios, y Dios mismo. Y su propia gente, los judíos no le creyeron y lo crucificaron. Bueno yo por eso estoy aquí, porque Dios no ha permitido que mi cuerpo muera. Yo he tenido muchos instantes en que he puesto mi vida en peligro y muy cerca de morir. Antes del día de Acción de Gracias del año 2017 fui a pescar. Era un pozo de agua donde mi amigo y yo íbamos a pescar. Estuvimos en ese pozo de agua pescando. Eran como a las nueve de la noche. Estaba tirando mi red al agua y se me quedó trabada. Solo quería pescar, y hacía mucho frío no había nada de pescado ni camarones. Jalé y jalé y la red no se soltó, así que traté de desprenderla.

Ese día la marea estaba alta, el terreno donde caminábamos estaba bajo agua, yo confiado, caminé para desatar la red. Estaba muy oscuro, pensando que sabía dónde estaba caminando. Caminé más adentro y di un paso en falso cayendo dentro del pozo, me estaba ahogando, y no tocaba fondo. Yo que no tengo el brazo derecho no puedo nadar y grité fuerte como esa voz que te sale desde el fondo de tu corazón, diciendo: *"¡Jesús, ayúdame!"* En ese momento siento que alguien me empujó de las nalgas para fuera del agua y yo con las uñas me arrastro hasta salir del agua. Había una luz cerca, no se miraba mucho, me salgo y la red se desató. ¿Cómo? No lo sé. Estuve tan cerca de la muerte sin que nadie se diera cuenta. Así que te digo en medio de la tragedia no hay más quien te salve que no sea JESUCRISTO. Trata de gritar desde el fondo de corazón y dile: "Jesús, sálvame". Cuando la muerte te esté correteando y si no estás en **gracia**, con más razón. Así como yo, te arrastrarás de las uñas para salvarte, pero tú no lo puedes hacer solo. Esto debe de servirte como una advertencia de que Jesús no te abandona.

Jesús siempre estará ahí para rescatarte. Soy un testimonio vivo de los **milagros** que Jesús ha hecho en mí, muy pocas personas saben de esto lo he compartido con mi grupo de la Iglesia. Recuerden que Jesús siempre les dijo a los que curaba o salvaba que no le dijeran a nadie. Así como yo grité de miedo que me ahogaba, quiero gritarte para que me escuches que, ¡confíes en JESUCRISTO! Jesús siempre te rescata. Él puede ser tu mejor amigo, ¡no tengas miedo de hacerte amigo de Jesús! Hay una anécdota de Jesús: Caminando por la playa, y hay únicamente un par de huellas. Jesús lleva una de sus ovejas en sus brazos, ¡las huellas son las de Jesús! Nosotros pensamos que caminamos solos en los momentos difíciles, pero Jesús siempre está ahí cargándote sin que tú lo sepas. Acuérdate de que Él sufrió solo y sudó sangre, por ti y por mí dio hasta la última gota de sangre en la cruz, por ti y por mí. Cuando tú sufres Él sufre contigo. A mí se me quiere salir el corazón de mi cuerpo al ver y escuchar cuánto lo niegas, es un dolor que sufro con Él, porque dio todo por nosotros. De cualquier manera, somos mudos: "JESUCRISTO QUIERE ESCUCHARTE DECIR QUE LO AMAS" ¡DÍSELO! No esperes hasta que ya no puedas hablar, ¡no seas mal agradecido! Haz un examen de conciencia, ¿qué es lo que te detiene? El Santísimo Sacramento donde Jesús mora, te está esperando para que te desahogues de lo que te mantiene lejos de Él. ¿Qué es lo que tienes? ¿Orgullo, vanidad, ego? Si solamente te arrodillaras y oraras para que Jesús more en ti y sea Señor de tu vida, Él lo hace en menos de un segundo. Si no sabes qué decir, ¡yo te ayudo!

Arrodíllate a la orilla de tu cama y pide perdón por todos tus pecados y dile así: "Señor mío y Dios mío, aquí estoy, humillado ante Ti, para pedirte perdón por mis pecados, imploro tu perdón y quiero conocerte, quiero que entres en mi vida y me guíes hacia Dios Padre". Después lo que quieras añadir, cuéntale tus problemas, necesidades, tu impotencia, todo lo que te hace sufrir. ¿Qué te hace feliz? ¿Qué te hace falta? Y dile cuánto lo amas, dale gracias por las cosas buenas, como de las cosas malas y por las tribulaciones que te molestan. Ven al pie de la cruz conéctate con JESUCRISTO. Él es Dios y te comprende porque ya sufrió lo que tú no te puedes imaginar. No hay cobro alguno, pero ponte listo porque vas a recibir un amor tan grande que tu alma va a querer salir de tu cuerpo. Muchas veces me ha ocurrido cuando recibo al Espíritu Santo y he querido que ese momento nunca se termine.

Nos ponemos en oración y a veces el Espíritu Santo se manifiesta, a veces nos regala dones, puede ser que de repente sintamos muchas ganas de tener comunicación con Dios. Leer las escrituras, ir más seguido a Misa, orar por otras personas, estar en adoración ante el Santísimo Sacramento. Él viene en el momento de silencio, tal vez necesitas estar en tu recámara solo y hablar con Él. ¡No te quedes mudo! *"Jesús cura a un sordomudo, tal vez nosotros estamos sordomudos por eso no escuchamos la voz de Jesús. Podemos asistir a la Misa y no escuchar el mensaje de la palabra". MARCOS 7:31-37.* Ora cuando estés solo para que te cure tu sordera y aclare tu voz. Que te aclare tu mente para que no pierdas tu enfoque en Él. Si no entiendes lo que te digo, tu voz es un audio para llamar a Jesús, pero estás siendo incitado por el Espíritu Santo. Piensa en mí un momento, cuando me estaba ahogando y pedí auxilio, en el momento que me estaba ahogando GRITÉ desde el fondo de mi corazón, ¡no había nadie fuera del pozo de agua para auxiliarme! Estaba solo y nadie pasaba por esa zona y era de noche. El área es un lugar muy desolado. Glorificar a Dios y enseñarle nuestro amor es nuestro deber, nuestro corazón añora tener esa relación con Dios. Como dice San Agustín: *"Mi alma viene de ti Señor, y mi alma no descansará hasta llegar a Ti".* También dice: *"Te buscaba fuera de mí, Señor, sin saber que estás muy dentro de Mí".*

Las enseñanzas de Jesucristo nos dejaron muchas riquezas para que nosotros hiciéramos un cielo en la Tierra. Jesús instituyó la Iglesia y dejó a cargo a los apóstoles, ¡Jesús deja a San Pedro como el primer Papa! Las escrituras que Jesús dejó fueron relatadas por unos de sus apóstoles. Mateo, Marcos, Juan y Pedro, estos caminaron con Jesús y fueron enseñados directamente por Jesús. Las Escrituras después fueron formadas en lo que hoy es nuestra Santa Biblia por el Papa San Dámaso. Lucas fue instruido por los demás apóstoles y la Virgen María, San Pablo fue enseñado igual e iluminado por el Espíritu Santo. La Santa Biblia está compuesta por setenta y tres libros del Antiguo y Nuevo Testamento. Los escritos de la vida de Cristo, Natividad, sus enseñanzas y su crucifixión. Seguiré enfatizando, la importancia que debemos darle a Jesús para glorificarlo. Bien merecido lo tiene después de derramar toda su sangre por nosotros en la cruz. Jesús dejó correr su Sangre por nuestra salvación. En esos tiempos, ser crucificado en la cruz era una forma de humillar a la persona y causarle el máximo dolor. Jesús fue apedreado en su propio lugar de nacimiento, y no lo recibieron como el Mesías y no le creyeron. Hay muchos **milagros** que Dios ha hecho en mi vida, hoy reconozco que tan solo con respirar ya es un **milagro** como también caminar y levantarme cada día. Físicamente, existo por Dios y me permite estar aquí. ¡Jesús da su vida en la cruz por mí para salvar mi alma! Después de leer muchos libros y las escrituras he sido guiado hasta aquí para compartir lo bueno que es Dios.

Estoy aquí para contarte de mis malas experiencias y para glorificar a Dios por todas las veces que me ha salvado la vida, gracias a Dios todavía sigo viviendo. Yo he tenido muchos accidentes y espantos de muerte, percances de morir en segundos estancias de meses en los hospitales, meses de recuperación y Dios todavía no termina conmigo. ¿Para qué o por qué? Solo sé que él me está inspirando para escribir este libro y espero con todo mi corazón que aprendas de él. No esperes que te pase lo que me ha pasado para reconocerlo como tu Señor y Salvador.

Ahora vamos a hablar de las cosas buenas de la vida, como nos queremos divertir. Una vez un sacerdote contó una anécdota, decía que cuando hay un juego nos pueden ver desde el cielo y que los que están en el cielo hacen porras por su equipo favorito. Dios tiene mucho humor también, puede contar cuentos, decir bromas, beber una cerveza o vino relajante. Acuérdate de las bodas de Caná. Estaban bebiendo vino celebrando las bodas y la Virgen María, interviene cuando se les acaba el vino. *JUAN 2:1-12.* De cualquier manera, hay muchas cosas buenas que nosotros podemos hacer. Sabes, cada vez que voy a la Iglesia entre semana hay muchos ancianos y jóvenes orando. A veces, niños también. Es comprensible, los niños en la escuela y los jóvenes también. Pero hay misas diarias en la mañana y en la tarde. EL SANTÍSIMO SACRAMENTO está EXPUESTO LAS VEINTICUATRO HORAS. Un sacerdote dijo una vez que él que quería atraer más gente a que adoraran a Dios y el Espíritu Santo le dijo: "Exponme en el altar". Hubo un éxito magnífico. Dios, escucha a los niños en momentos de tragedia, tormenta y para bendecir nuestra familia. Dejen que los niños vengan a Jesús y no se lo impidan.

"Niños" Jesús dijo: ¡dejen que los niños vengan a mí!, son inocentes. Los niños tienen un corazón puro, son amorosos. No miran quién es quién, no miran con malos ojos, ellos no juzgan. Supongo que por eso sus oraciones son tan especiales y agradables a Dios, durante tempestades sus oraciones calman la ira de Dios. *"Dejen a los niños y no les impidan que vengan a mí; el Reino de los Cielos pertenece a los que son como ellos". MATEO 19:14.* Por esa razón tienes que hacerte como niño si quieres entrar en Reino de los Cielos, con un corazón contrito y puro. "En el tiempo que Jesús estaba predicando, los apóstoles creían hacer el bien al no permitir que los niños llegaran a Jesús, para no interrumpirlo". De cualquier manera, Jesús sabe lo que tenemos en nuestro corazón, así que quería que los niños llegaran a Él, estaban bienvenidos. ¿Qué nos aleja de Dios? A diario fallamos, por eso debemos ir a Él con un corazón contrito y humillado. Antes de venir a Cristo deberíamos hacer un examen de conciencia y movidos por la motivación de ser salvados.

¿Tenemos que hacernos como niños? ¿Acaso eso no te molesta? ¿Qué es lo que nos aleja de hacernos como niños? Necesitamos regresar al tiempo pasado. *"Si tu mano te lleva al pecado córtatela, y si tu ojo te lleva a pecar ¡sácatelo! Si tu pie te lleva a pecar, córtatelo y tíralo lejos de ti". MATEO 5:29-30.* Lo que quiere decir este pasaje, es que cortes las cosas que te llevan al pecado no las extremidades de tu cuerpo. Hay personas que llamamos amigos, son malas influencias, así que corta los que te llevan al pecado. Puedes cambiar su pensamiento siguiendo tu buena conducta, guiándolos a hacer el bien y si no te escuchan y les agrada ir por el mal camino, no tienes otra opción más que alejarte de ellos. Tenemos televisión, radio, teléfono, computadora y otros medios de comunicación que te hacen caer en el pecado, pero si haces buen uso de todo eso también te puedes edificar y hacer que incremente tu FE. **Las cosas que miras y las cosas que escuchas** pueden ser injuriosas y pueden robarte o hacer que pierdas la *gracia* de Dios en ti. Si vas a lastimar a alguien o cometer un crimen NO lo hagas, aléjate del pecado corta lo que te lleva a eso. No hagas cosas que te alejan de Dios. Ni lo pienses porque es lo mismo como si lo realizaras. Podemos ofender a Dios de muchas maneras, como, por ejemplo: con la mirada, con el pensamiento, con las palabras, juzgar, blasfemar, etc. Tu boca mata, con palabras injuriosas. Cuando hablas mal de alguien matas su persona te olvidas que esa persona tiene dignidad.

Lo espiritual importa más que el cuerpo, porque el Espíritu es eterno y es más doloroso que lastimes a alguien hablando mal de tu prójimo. Los pecados son personales y eso es solo entre tú y un sacerdote y la misericordia de Dios. El perdón viene de Dios a través de un sacerdote.

Jesús nos envía a predicar a nuestros alrededores, a la familia, vecinos, u otras personas. Puede ser en tu hogar, tus amigos, grupos de la Iglesia o vecinos. A veces pensamos que no sabemos qué decir, pero el Espíritu Santo te inspira a decir lo que Dios quiere que enseñes a la persona, como San Juan Pablo dice "NO tengan miedo". Que te impulse a decir algo que nazca de tu corazón siempre teniendo presente a JESUCRISTO. Hablarle a alguien de Cristo, es glorificar a Dios Padre y al mismo tiempo estás evangelizando a un nuevo creyente. La FE Cristiana tiene que ser instruida, enseñada, a través del testimonio de vida. El plan de Dios, para salvar al mundo fue enviar a su único hijo al mundo y darlo como sacrificio por nuestros pecados para que todo aquel que crea y se convierta se salve. Las leyes que Dios le da a Moisés para el pueblo de Israel, se sentían fuertes, pero Jesús vino y nos enseñó una forma fácil de cumplirlo y nos enseñó que todo es por amor. Por eso Jesús dice: *"No piensen que he venido a suprimir la Ley o los profetas. He venido, no para deshacer, sino para traer lo definitivo. En verdad les digo: no pasará una letra o una coma de la Ley hasta que todo se realice". MATEO 5: 17-18.* Así que no tratemos de acomodar las Leyes de Dios a nuestra conveniencia o a nuestro gusto. La gente de antes hacía juicio por el pueblo. Hoy tenemos tribunales, pero de hombres que hoy se nos juzga por un juez. Pero antiguamente la gente moría a pedradas. Para formarte mejor está la Santa Biblia que es la palabra de Dios. Los libros de Sabiduría y Proverbios te abren los ojos ante la ignorancia.

Para ser un buen padre de familia, un buen esposo y un buen Cristiano es el camino a la salvación. *"Si alguno de ustedes ve que le falta sabiduría, que se la pida a Dios, pues da con agrado a todos sin hacerse rogar. Él se la dará, pero hay que pedirle con FE, sin vacilar, porque el que vacila se parece a las olas del mar que están a la merced del viento".* SANTIAGO 1:5-6. Dios te la dará por tu salvación, para que ya no camines en la oscuridad y empieces a caminar a la luz. Para que seas un verdadero Cristiano, un Cristiano auténtico con convicción no por emoción.

Para regalar algo, tienes que tener algo que regalar. Recibimos la sabiduría de diferentes maneras, en la Santa Biblia, en libros, pero no cualquier libro, libros buenos, buenas películas, himnos (cantos), charlas y por supuesto el internet. Como dice en *ROMANOS 10:17: "Así pues, la FE nace de una proclamación, y lo que se proclama es el mensaje Cristiano".* Pero ve más adentro y verifica todo con la Santa Biblia y el catecismo de la Iglesia Católica. Creo de mi parte que lo más importante es tu salvación y no dejes que te la roben, no creas a cualquiera que te hable bonito con doctrina de hombre. JESUCRISTO es el mejor maestro y el demonio siempre obra a través de los desobedientes que creen saber más que Dios. Recuerda que Jesús tiene una Madre y es también nuestra Madre, se moleste quien se moleste. El demonio odia a Jesús y a su Madre, la Virgen María. Infórmate si tienes dudas de la Virgen María. Hay mucha información con el sacerdote, Luis Toro lo puede encontrar en videos de YouTube. Hay otros sacerdotes como: Arturo Cornejo, Carlos Cancelado, Ángel Espinosa y por su puesto la Biblia, que tiene numerosas citas que anuncian la venida de JESUCRISTO REY, por medio de la Virgen María. Investiga, en la Biblia, está escrito todo lo que debemos hacer para alcanzar nuestra salvación. Verifica lo que escuches o leas en libros y en el internet. Cuidado con las escrituras de otras religiones que dicen medias verdades y no son lo que los apóstoles escribieron.

En aquellos tiempos los apóstoles caminaron con Jesús, y relataron lo que Jesús vivió, y San Lucas, escribió lo que la Virgen María le relató. San Pablo fue enseñado por los apóstoles y él era una persona muy estudiosa de las leyes de Moisés, además tenía como maestro a "Gamaliel", un erudito de la palabra de Dios. Pablo era un hombre muy celoso de la FE, y se convierte porque Jesús le habla y el Espíritu Santo lo envía a ser instruido.

Enséñales a tus hijos, a caminar en los pasos de Dios. Esto dice Dios a Moisés: "Enséñales a tus hijos y a los hijos de tus hijos". Enséñales a Orar, a reconocer a Dios, como Señor y Salvador, enséñales que hay una vida eterna, enséñales que la plenitud no está aquí en la Tierra, enséñales a ser hábiles para decir no cuando es no y decir sí cuando es sí, enséñales a dar testimonio de la FE en Dios con sus amiguitos a una temprana edad. Hay muchos momentos de niños que pasamos por muchas dificultades y llegamos a pensar que esta vida lo es todo y que la muerte es el final, y NO ahí es donde empieza todo. Pide sabiduría, para tener sabiduría, "nadie da lo que no tiene", además ellos necesitan esa sabiduría para poder sobrevivir. Como padres, esto es nuestra responsabilidad de enseñarles, el camino la verdad y la vida y así ellos podrán hacer la voluntad de Dios, a través de tu ejemplo, nosotros decimos: "LAS PALABRAS CONVENCEN, PERO EL EJEMPLO ARRASTRA", predica a través de tu ejemplo. Hay muchos predicadores de la palabra de Dios, muy interesantes y buenos, pero su ejemplo de vida no concuerda con lo que predican como dice: *"Hagan lo que ellos dicen, pero no hagan lo que ellos hacen".* *MATEO 23:3.*

Nuestros líderes quitaron la oración de Dios de las escuelas, en EE. UU. Antes, en los años ochenta, se oraba antes de empezar el día escolar. La oración fue eliminada de las escuelas. Y si tú no les enseñas a tus hijos a orar en tu casa ellos crecerán sin el temor de Dios y vivirán de espaldas a Él. Podrán tener todo, pero si no tienen a Dios, no tienen nada, porque ese vacío que sentirán en su corazón solo Dios lo puede llenar. ¿Sabes por qué quitaron la oración de las escuelas? Solamente porque unos cuantos ateos se sentían ofendidos de la oración. Esto es algo que hoy en día nuestros hijos ya no tienen. Por eso es nuestra responsabilidad enseñarles a orar desde casa, recuerda que la primera Iglesia es nuestra casa. Pero Dios no reconocerá a estos que han retirado los hijos de Dios de su presencia. ¿Acaso no tienen idea de lo importante que es bendecir a tu hijo diariamente al empezar el día? La bendición de un Padre es tan relevante que Dios bendice en magnitud del Padre Celestial. Así tu hijo recordará que existe Dios. JESUCRISTO es el único Dios y Él los acompaña: *"**Muéstrale al niño el camino que debe seguir, y se mantendrá en él aun en la vejez".** PROVERBIOS 22:6.*

Imagínate los que nacimos en la FE Cristiana de la Iglesia Católica. Muchos tenemos padres que nacieron en la FE Católica por muchas generaciones. Mi madre en estos días, todavía me predica la palabra de Dios con su ejemplo de vida y verbal, ahora yo tengo cincuenta y cuatro años. ¿Tú sabes cómo fuiste creado y por quién? ¿Qué te parece esta verdad de la manera en que fuiste creado? El Espíritu Santo que es Dios te tuvo que concebir y formarte dentro del vientre de tu madre, cuando el espermatozoide de tu padre y el óvulo de tu madre se unieron para formar un embrión para luego ser feto y luego para ser lo que hoy eres. En ese momento somos creados para la ¡ETERNIDAD!, puede ser un eterno Paraíso o un eterno Infierno tú eliges. Dios creó un plan de Salvación, y somos destinados para estar con Dios, pero podemos escoger ser rebeldes y no seguirle. Desde el primer momento de la concepción ya es un ser humano que crecerá a ser una persona creada por la mano de Dios. ¡Si una semilla es plantada acaso no crece por la *gracia* de Dios! ¿Se puede destruir esa creación? ¡Si! Desgraciadamente, así como pasa con una semilla, se la comen los animales o la arrancan las aves, así mismo hacen los que practican el aborto y las mujeres que permiten que sus hijos sean arrancados de sus vientres. ¿Por qué lo permite Dios? Por la concupiscencia del pecado original y nuestro libre albedrío de hacer lo que nos da la gana.

Hoy en día es más común, que cualquier pareja, que no quiera ser responsable para crear y educar a su hijo lo mata así de fácil. Somos creados por la mano de Dios y si Dios no es parte de tu vida vives en contra de la voluntad de Dios. He entendido que Dios siempre quiere nuestro propio bien, Dios nunca resta a nuestra vida, al contrario, Él, siempre suma, te lo puedo asegurar en mi situación y condición. Como has leído, o me has visto, o me conoces, sabes que no tengo, la mano derecha y tampoco el pie izquierdo, aun de esta manera, te digo que Dios siempre quiere nuestro propio bien. Tenemos un proceso para nacer y crecer dentro como fuera del vientre de nuestra madre. Mujeres, no le quiten la responsabilidad al hombre, él tiene que ser partícipe de tu decisión, ambos tuvieron que ver en ese embarazo. La mujer no se puede embarazar sola, y el hombre no puede engendrar hijos solo. Querido lector podrá decirme y que hay de inseminación artificial, pues yo te diría que un hijo necesita un padre y una madre. Hablemos de "SAN JOSÉ". Donde él es mandado por Dios a recibir a JESUCRISTO, a José se le da la autoridad de ponerle nombre a Jesús o Emmanuel que significa *"Dios con nosotros"*. *ISAÍAS 7:14*. Esa responsabilidad le toca al hombre poner el nombre a su hijo, mujeres no le roben al hombre ese derecho. Venga como venga el bebé tiene derecho de nacer, él trae un propósito en la vida.

Mujeres muchas veces ocultan el embarazo y toman decisiones por su propia cuenta ignorando lo que va a opinar su pareja. Las mujeres por la *gracia* de Dios son las únicas que pueden procrear una vida en su vientre. Ellas comparten una relación con Dios máxima y única, porque con Dios, procrean una vida nueva. ¿Tan ignorantes somos que no sabemos esto? Por la ignorancia e irresponsabilidad permitimos que una vida sea quitada y no es solo una vida, es una generación completa que es exterminada, literalmente así es. Todos tenemos parte en esto porque aprobamos estúpidos líderes que votan por nosotros y hacen lo que les da la gana como hacer ley el aborto, habrá algo tan monstruoso que eso y son personas preparadas y estudiadas. Definitivamente, no tienen temor de Dios. Nos sentimos lastimados por insultos o malos tratos, pero no nos causa dolor la muerte de estos indefensos niños que son arrancados y destrozados del vientre materno. La madre es la única que puede proteger a su hijo de la mano del exterminador, y el papá es su protector después de nacer. El padre es el que mantiene a la mujer y a los hijos. Un hijo no es una carga es más bien una bendición de Dios. Si Dios crea a la humanidad, él nos sostiene. ¿Acaso Dios nos ha dejado solos? DESPIERTA hombre y mujer, Dios nos necesita para que su plan funcione y se lleve a cabo. Mujeres, ustedes no están solas, si necesitas ayuda, pídela y olvídate de la soberbia y el orgullo hazlo por Dios y por tu hijo. Recuerda que si hoy cuidas y alimentas ese hijo, mañana él lo hará por ti. Mujeres dejen saber a su cónyuge que están esperando un hijo.

Como comunidad también hay mucha ayuda en nuestra Iglesia y de parte del gobierno, ¿acaso ignoran lo hermosas que se ven cuando están encintas? Todos nos alegramos cuando hay un nacimiento, es un **milagro** que podemos ver claramente.

Tenemos que tomar este momento para exaltar a la MUJER, en muchas partes del mundo no son tomadas en cuenta o no se le valora por ser MUJER. Hay lugares donde la MUJER no tiene derechos, viven bajo opresión. ¿Cómo puede ser eso posible que existan hombres tan crueles con su propia madre? Hombres nacidos de mujer, no de piedra o algo más. En cualquier parte que nazca un hijo tiene que haber una madre. Son países ridículos con leyes antiguas y creencias estúpidas. Dios no creó a Eva de los pies de Adán, fue creada de su costado. La mujer fue creada para ser parte del hombre y todas las cosas del mundo son creadas para estar a nuestra disposición. Deberíamos de valorar a la mujer, son nuestra madre, maestra, esposa, amigas y nuestro amor, nuestra pareja. Ellas nos acogen para confortarnos, para protegernos. La mujer es dadora de vida. Los hombres no lo pueden hacer, dos hombres o dos mujeres no pueden crear. Ser de otra índole homosexual no te quita ser parte de la salvación, pero está en la persona hacer el bien o hacer el mal ante los ojos de Dios. Pídele a Dios la *gracia* de alejarte de las cosas que son aberración contra la voluntad de Dios.

Voy a darme un momento para hablar de la mujer, ¿acaso saben que son una protectora de la humanidad? Las únicas protectoras que los bebés tienen cuando están en el vientre, es la propia mujer. Aquí me da pie para contarte sobre GIANNA BERETTA MOLLA, nació el 4 de octubre de 1922, fue una médica pediatra y laica Católica italiana. Muerta de un cáncer uterino, que prefirió salvar la vida de su hija aún no nacida, antes que la suya. Falleció el 28 de abril de 1962 a los 39 años. La canonizaron el 16 de Mayo del 2004. Los hombres y las mujeres son igual de importantes. Nosotros somos llamados a procrear con Dios, nosotros tenemos un propósito. Hay manera de hacer bien las cosas, tenemos un gran ejemplo con la sagrada familia, ellos son un ejemplo como debe ser una familia. Nosotros escogemos hacer el bien o el mal, el matrimonio es sagrado. El matrimonio lo festejamos llenos de felicidad, sabiendo que se creara una nueva familia. Consagrar el matrimonio, significa hacer todo bien porque obtenemos la bendición de Dios. Pasamos de ser dos a ser uno, y después de ser uno pasamos a ser tres, como la Santísima Trinidad Padre Hijo y Espíritu Santo. Tus hijos se hacen hijos de Dios y se empieza a vivir en Santidad. Porque en el mundo hay mucha gente buena, pero Dios no nos quiere buenos, Dios nos quiere santos. *"Según dicen las Escrituras: Sean santos PORQUE YO SOY SANTO". 1-PEDRO 1:16.* Dios te hace Co-creador de tu familia, tu matrimonio se convierte en convenio de bendiciones. No solamente aprendes del matrimonio, sino también aprendes de Dios. Nos perdemos de muchas cosas, porque puedes prosperar en las bendiciones de Dios, para pasar bien en esta vida.

"Nosotros recibimos al Espíritu Santo en el momento que somos bautizados. Juan bautizaba con agua, para el arrepentimiento, Jesús bautizaba con el Espíritu Santo". HECHOS 19:1-5. La importancia del Espíritu Santo, no lo veo en la vida de muchísimas personas. He estado en grupos de oración y muchas personas fuera de la Iglesia no saben de las cosas divinas que se pierden. Espero aprendas algo de este libro y lo pongas en práctica, toma un acto de FE. Jesús nunca desafía a nadie. Cualquier cosa que hagas para ayudarte a ti mismo o ayudar a otros, puede que te cambie tu vida. Tal vez tu vida tomará un cambio y será más bendecida. ¿Bendecida cómo? Pide dones de Dios y su *gracia*. Estas bendiciones son lo que necesitas para salvar tu alma, no pienses en las cosas materiales que son vanas. Qué es lo que pasa cuando estás en peligro, mi vida ha estado muchos instantes en peligro. La primera vez que mi vida estuvo en peligro, no sabía que Dios existía. Como escribí anteriormente fue cuando me caí dentro de un pozo de agua y me estaba ahogando y grité desde lo más profundo de mí: "¡Jesús, sálvame!" ¿Qué tal tú? ¿Qué harás el día que te toque? Has experimentado ese momento donde desde el fondo de tu corazón reconoces que Dios existe. ¿O te ha pasado que Dios salva tu vida y no lo reconoces? Haz memoria, tal vez Dios te otorgue la *gracia* de reconocer ese o esos momentos y así poder darle gracias y glorificarlo. Nunca es tarde para reconocerlo y darle gracias. La misericordia de Dios es infinita y se acaba cuando tu vida termina en esta Tierra.

Nosotros caminamos alrededor como sonámbulos, sin importarnos nada. De cualquier manera, tenemos tiempo de hacer cosas correctas para alcanzar la Salvación, mientras nos dure la vida. Cuando morimos ya no podemos hacer nada por nosotros mismos, si vamos al Infierno de ahí ya no salimos o sea que la oración de todos nuestros seres queridos y personas piadosas ya no valen. Nosotros podemos escaparnos de muchas cosas aquí en la Tierra. Pero nuestro engaño o falsedad no nos salvará en juicio final. Como dijo alguien: "Señor, ¿por qué permites tanta crueldad?" Y el Señor le respondió: "Yo estoy guardando mi venganza para el Juicio final". Jesús mencionó esto varias veces, los profetas del pasado también anunciaban, el arrepentimiento de nuestra mala conducta. Hoy somos los nuevos profetas, anunciando la Buena Nueva. Evangelizando la familia, a un amigo, a un vecino o a un grupo de personas. En el pasado había mucha gente, hoy en día hay millones de personas que necesitan ser evangelizadas. Necesitas escuchar la palabra de Dios. No hay excusas de qué cultura, bienes, o en qué creas. Sal de dudas sobre la existencia de Dios, de su palabra, de los **milagros** que ocurren diariamente y a cada instante. Los apóstoles fueron enviados por JESUCRISTO a predicar la Buena Nueva al mundo entero. A veces nuestra mente es muy limitada, pero hay diversas personas en nuestra Iglesia que nos pueden instruir, para que la palabra de Dios se extienda a través de todos por diversos medios. Esta es la manera de que la palabra de Dios llegue a todos los confines de la Tierra.

Nosotros somos los nuevos profetas de nuestra era. Algunos somos los escogidos por Dios, para ser los profetas de su palabra: *"En el principio existía la Palabra y la Palabra estaba junto a Dios, la palabra era Dios, todas las cosas fueron hechas por medio de la palabra, y sin ella no se hizo nada de todo lo que existe, en ella estaba la vida, y la vida era luz, de los hombres, luz que ilumina las tinieblas y las tinieblas no la impidieron". JUAN 1:1-5.* Podemos ser proclamadores de la palabra de Dios en la Iglesia, en la celebración de la Santa Misa, proclamando la palabra de Dios con las Escrituras. Esas son personas que evangelizan al mundo a través de la palabra. Hay dos tipos de profecía. Profecía relatando un mensaje de las cosas que vienen, y la profecía que es anunciada a través de un mensaje en voz alta. Una cosa se da con la otra y debes saber que hay algo que está por venir. Nosotros no somos los dueños de nuestro cuerpo, y de nuestra alma, tenemos a Dios. Dios nos creó para estar con Él, pero tenemos que caminar en este mundo y vivir. Vamos en prueba viviendo esta vida para ver si merecemos ir al Cielo. Nosotros no podemos asumir que iremos directamente al Cielo, seguramente sería un desafío la crucifixión de Jesucristo. Jesús vino para REDIMIR al mundo entero. El vino y cargó con todos nuestros pecados y los tomó así mismo para salvar al mundo entero de ir al Infierno. "Sin embargo, eran nuestras dolencias las que Él llevaba, eran nuestros dolores los que le pesaban.

"Nosotros lo creíamos azotado por Dios, castigado y humillado, y eran nuestras faltas por las que era destruido, nuestros pecados por los que era aplastado. Él soportó el castigo que nos trae la paz y por sus llagas hemos sido sanados". ISAÍAS 53:4-5. Espero entiendas esto y puedas rectificar tu vida por tu propio bien.

La FE que nosotros recibimos, es la FE que podemos vivir. Si tenemos FE sabemos a dónde vamos y a quien seguimos, si sigues a JESUCRISTO, sabes que tarde o temprano tienes que morir, pero tú resucitarás en el día del Señor. Jesús dijo que Él hará todo nuevo y él cumple lo que dice, su palabra es PODER (no es que tiene poder, es PODER). Porque él es Dios. El Padre le ha entregado todo y por su *gracia* todo lo que se le pida lo adquirimos. Él mismo dijo: "Todo lo que pidan en mi nombre lo haré, de manera que el Padre sea glorificado en su Hijo. Y también haré lo que me pidan invocando mi nombre". Ahora imagínate el amor de Jesús por toda la humanidad. Nuestro Señor Jesús tuvo que mirar porque iba a morir, aun en su momento más doloroso colgado en la cruz. Dios permite, aun así, que su Hijo sea crucificado, el plan del Padre permite que su grandeza sea enseñada y nosotros no lo entendemos, somos débiles, ignorantes y todo lo creemos saber, más no entendemos nada. Todos caemos una y otra vez en la tentación (pecado). Y peor aún unos no queremos seguir sus mandatos. Mandatos que nos son dados por amor, por nuestro propio bien. En el Jardín de Getsemaní donde Jesús va a orar, Jesús suda gotas de sangre al saber todo lo que tiene que sufrir, y le dice al Padre: *"Padre, si es posible que pase de mí este Cáliz".* Pero Jesús en su obediencia dice: "¡Pero que no se haga mi voluntad, sino la tuya!" Jesús sufre tanto al ver nuestro pecado, de cómo somos tan dóciles al mal y que fácil caemos.

¿Sabías que de todas las clases de arañas que existen, solo una clase es cazadora, las demás solo tejen su red, para que la presa caiga sola por su propia cuenta? Pues así es el demonio él solamente pone la tentación, depende de TI si caes. Por nuestros pecados Jesús sufre la flagelación de su sangre en sudor. ¿Qué terror sentiría? ¿Qué AGONÍA? De cualquier manera, Jesús afronta con valentía su crucifixión. Su madre nunca se aleja del lado de su Hijo, sufre con Él, ella sabía que una espada atravesaría su alma, su propio Hijo siendo torturado, burlado, humillado, escupido, y la muchedumbre diciendo "¡Crucifíquenlo!" y quién sabe cuánta blasfemia decían, yo digo que la furia de Satanás salía de la boca de toda esa muchedumbre. María tuvo que ver la tortura y escuchar todas esas blasfemias que gritaba la muchedumbre de su propio Hijo y ella sin poder hacer nada. ¿Te has sentido alguna vez "impotente", como que no tienes brazos ni pies ni mucho menos voz, más que solo tu corazón?

Hoy en día hay muchos predicadores que piensan conocer la Sagrada Biblia y predican cosas erróneas de nuestra Madre Santísima ellos no son más que ignorantes, peor aún las personas que les creen lo que dicen, no saben que es obra del demonio, porque el demonio, así como odia a Jesús el Mesías, también odia a María Santísima, no podemos aceptar solo al EMMANUEL y odiar a su Madre. Como dijo nuestra Madre Santísima:

"Proclama mi alma la grandeza del Señor,

Y mi espíritu se alegra en Dios mi Salvador,

Porque se fijó en su humilde esclava,

Y desde ahora todas las generaciones me llamarán bendita.

Dio un golpe con todo su poder:

Deshizo a los soberbios y sus planes". LUCAS 1:46-50.

En mi opinión son sabios tontos que comparados con cualquier cosa sería insultar con quien se les compara. ¿Difícil de comprender y difícil de obedecer? Jesús predicó y estableció UNA sola Iglesia que en su orden ha estado evolucionando. Dirigida por un Papa el ungido de Dios, a quien el Espíritu Santo lo guía y lo impulsa a actuar según la voluntad de Dios. El llamado a ser sacerdote no es para cualquiera. Nuestros sacerdotes son elegidos por Dios y son Ungidos por Dios. La FE, el que la tiene no la cuestiona ni la explota. ¡Nosotros no somos Dios, de esta forma nadie se puede mandar solo, al decir nadie, ahí me incluyo!

Estuve más de un año añorando escribir un libro, y me preguntaba, pero, ¿de qué voy a escribir? Me sentía con vergüenza de mí mismo porque pensé: ¿Cómo voy a escribir algo y venderlo siendo el tema especialmente de Dios? Pero muchos nos preguntamos: *"¿QUÉ QUIERE DIOS DE MÍ?"* y Dios nos da señales de muchas maneras y no *"ACTUAMOS"*. Ahora le voy a dar crédito a esta mujer que conocí por internet, ella me dijo: "Oye yo no conozco a Dios y no sé cómo orar". Y yo le dije: "¡Yo te enseño cómo orar!" Así que le enseñé cómo persignarse y luego le escribí la oración del Padre Nuestro.

Le expliqué que, al decir, en el Nombre del Padre ya
está dándole gloria al Padre, está alabando al Hijo, y está
exaltando al Espíritu Santo, mas está diciendo que Dios
es el único que existe. Bueno yo sentía esta corazonada
que no me dejaba en paz y empecé a escribir este libro
de los **milagros** que Dios ha hecho en mi vida. Gloria, a
Dios, en el Cielo y en la Tierra y en todos los confines. Si
supieras de lo que te pierdes al no tener a Dios en tu vida o
que no le tomes en cuenta en el día a día, incluso ignorar
el amor que Él tiene para con nosotros. *"SÉ QUE EL
ES EL EMMANUEL, DIOS CON NOSOTROS Y SE
QUEDÓ EN EL PAN. LA SANTA EUCARISTÍA"*. Si
eso no te causa curiosidad y no lo buscas, ¡estás muerto
en carne! Aunque Jesús sabe que somos pecaminosos,
Él nos da la oportunidad de arrepentirnos. Hay un
nuevo convenio que el Padre y Jesús hacen con su pueblo
preferido, Dios Padre envía a su Hijo Jesús y él establece
su Iglesia a su manera. Claro todo lo que hace Jesús es
la Voluntad del Padre Dios. Jesús, primero elige a los
doce apóstoles, luego los instruye y entre los doce escoge
a Pedro como líder de su Iglesia. Jesús le deja encargado
a Pedro, su Iglesia y le da las llaves del Reino, y, ¿se
preguntan si él es el primer Papa? ¿Por qué tanta duda si
las escrituras salieron de la boca de JESUCRISTO? ¡Y
así fueron escritas! La palabra de Dios es lo único que
hay según nuestros antepasados y cuestionamos todo y
luego Dios, se hace presente a quien él quiere llamar, si
miles de millones no hacen lo que Dios nos pide, ¿por
qué endurecen su corazón?

Las cosas van de mal en peor, ya son 2022 años hasta el presente y Dios sigue sanando a quien quiere y se le hace presente al que escucha. Si te impulsa a ser algo y eres el profeta de hoy: "¿Por qué no haces nada?" Ahora simplemente sigue a Jesús que él es el ejemplo de cómo quiere que vivamos. Jesús dijo: *"Yo soy el camino la verdad y la vida".* El sacrificio que a Él le agrada sea como Él lo planificó dándole culto en cada EUCARISTÍA o sea en la Santa Misa. Si se ha tardado tanto tiempo en que se organice una Misa de tal manera como Jesús quiso que recordáramos su nacimiento, vida, crucifixión y resurrección, entonces: ¿Por qué hacemos lo que se nos da la gana? Quedemos de acuerdo en hacer lo que JESUCRISTO dejó mandado y no alguien como Lutero que se separó de la Iglesia Católica arrastrando a muchos fuera del camino, de la verdadera FE. Esto me hace recordar cuando Lucifer fue echado del cielo arrastró la tercera parte de los ángeles del Cielo con él. Recordemos todas las implicaciones que la desobediencia de Adán y Eva dejaron a la humanidad la concupiscencia del pecado, que ahora implica diversos pecados que nos arrastran a toda la humanidad. Hoy una persona apenas lee la Biblia y hace su propia secta, sabiendo que está fuera del mandato de Dios. ¿Y creen que le están rindiendo culto? San Francisco de Asís le pidió permiso al Papa para hacer la orden de los Franciscanos. Pero si queremos llegar al Cielo hay que obedecer a Dios, así que puedes ver el **milagro** que Dios está haciendo para que lleguemos a vivir con Él en la Tierra Prometida que es el Cielo.

Hay que seguir sus enseñanzas y no pensar que es nada más de irse derecho al Cielo. Tenemos mucho trabajo que hacer, por ejemplo, evangelizar a los que no conocen a Dios y los que están en nuestra Iglesia que arden de Amor por Dios. Jesús les dijo a sus apóstoles que Él se tenía que ir y no le entendían que él moriría y en tres días resucitaría, los Escribas y Fariseos no entendieron que Él destruiría su templo y, ¡en tres días lo restauraría! En cada uno de nosotros está el Templo de Dios, nuestro corazón es templo y tabernáculo de JESUCRISTO. *"Pero es verdad lo que les digo: Les conviene que yo me vaya, porque mientras yo no me vaya el protector no vendrá a ustedes. Yo me voy, y es para enviárselo". JUAN 16:7.* Como ya sabemos que recibimos Dios Espíritu Santo en el bautizo y somos coherederos con JESUCRISTO del Reino de los Cielos. Ahora tú puedes imagínate lo grandioso que es o mejor aún vivir eternamente en el paraíso de Dios. Jesús dijo: *"En la casa de mi Padre hay muchas mansiones, yo me voy a prepararles un lugar para que donde yo estoy estén también ustedes".*

En la crucifixión Jesús nos deja a María Virgen como nuestra Madre. Jesús, al ver a la Madre y junto a ella al discípulo que más quería, dijo a la Madre: *"**Mujer, ahí tienes a tu hijo. Después dijo al Discípulo: Ahí tienes a tu Madre. Y desde ese momento el discípulo la llevó a su casa"*. JUAN 19:26-27*. Jesús le da su madre a toda la humanidad, así que el día que nos muramos, esperamos que ella esté ahí para abogar por nosotros ante su hijo Jesús. Para que Jesús nos lleve al Reino de Dios es muy importante reconocer a María Santísima como Madre de Dios y Madre nuestra, porque no sabemos el día ni la hora que vamos a dejar de existir aquí en esta Tierra, por eso necesitamos que María Santísima nuestra Madre Celestial esté ahí en ese preciso momento rogando por nosotros ante su Hijo amado Jesús. Y se lo pedimos todos los días cuando rezamos diciendo: *"**Dios te salve María, llena eres de gracia, el Señor está contigo, bendita tú eres entre todas las mujeres y bendito es el fruto de tu vientre, Jesús... Santa María, Madre de Dios, ruega por nosotros pecadores, AHORA Y EN LA HORA DE NUESTRA MUERTE. AMÉN"*. Siempre estamos en una batalla espiritual, no nos damos cuenta la mayor parte del tiempo. Hay muchas oraciones que nuestros hermanos nos han dejado a través de los tiempos, Jesús nos dejó el Padre Nuestro. Tenemos el Rosario en las Escrituras referente a la vida de Jesús. A veces nos encontramos sin palabras, no tienes que ser elocuente con Dios, simplemente abre tu corazón y dile que lo amas y dale gracias por todos los **milagros** que él realiza a cada instante en tu vida.

Hay oraciones escritas para liberarte del maligno. Conocer al maligno ayuda a derrotarlo. Las oraciones son eficaces porque no solamente Jesús está con nosotros en ese momento de oración, también está María Santísima, por eso nos la dejó como Madre para que nos cuidara y rogara por nosotros. *"Bendita sea la misericordia de Dios".* El demonio corre cuando imploramos a María Santísima. ¿Acaso tu madre terrenal no se pone como leona cuando estas en peligro? Si es así te puedes imaginar lo que hace nuestra Madre Celestial por nosotros.

Tu cuerpo se siente pesado por tus pecados, que están amontonados. Satanás quiere que vivas y mueras con esa carga y hace que ignoren lo que Jesús dijo: *"'¡La paz esté con ustedes! Como el Padre me envió a mí, de esta manera los envío yo también'. Dicho esto, sopló sobre ellos y les dijo: 'Reciban el Espíritu Santo: a quienes les perdonen los pecados le serán perdonados. Y a los que no le perdonen no le serán perdonados'".* *JUAN 20: 21-23.* San Miguel Arcángel tiene una oración para combatir a Satanás. Satanás sabe que él no puede regresar al Cielo. Nosotros somos para él una envidia, porque tenemos la oportunidad de ir al Cielo. Para nosotros es una batalla espiritual diaria, Satanás nos ataca porque conoce nuestras debilidades, pero tenemos a nuestra Madre Santísima que nos defiende contra él, por eso pedimos y rogamos su intercesión. Si morimos en pecado mortal vamos derecho al Infierno. ¿Conocemos nosotros los pecados mortales? ¿Cuáles son los pecados mortales? Ejemplo: adulterio que es lo más común, matar, avaricia, lujuria, enojo, envidia, orgullo, gula. Todo esto lo perdona Dios con la absolución de un sacerdote. *"El único pecado que no es perdonado es el pecado contra el Espíritu Santo".* *MARCOS 3:28-29.* Mientras tengas un corazón arrepentido Dios te perdona todos tus pecados en su gran misericordia.

Mi vida ha sido muy pecaminosa, yo tengo un corazón contrito y tengo miedo perder el Cielo. Yo me confieso con uno de nuestros sacerdotes en cualquier Iglesia, mientras que yo reciba absolución y haga penitencia por mis pecados, mis pecados quedan perdonados. Soy perdonado, ¡pero, aun así, tengo que ser juzgado por Dios! No puedo decir nada acerca de esto porque no sé. Cuando nos encontremos con Dios, cara a cara, no sé qué enfrentaremos. Creo que enfrentaremos el día del juicio. Nosotros no podemos especular lo que nos espera en el juicio final. Pero Jesús lo dice en las Escrituras, que estemos listos.

Yo pienso cómo viviremos la vida eterna si tenemos dificultad de vivir esta vida. ¿Cómo sería esto? ¿Eterno? ¡Vida que nunca termina! Yo tengo miedo de irme al Infierno, pero más que nada tengo miedo de perder el amor de Dios en mi corazón. Yo no me puedo imaginar ir al Infierno y arder por la eternidad, pero también pierdes el amor de Dios. Yo he conocido su amor, hay un sentir calientito y no hay preocupaciones y el alma se encuentra en un gran descanso. Para esos que no comparten la misma FE, cómo puedes negarte a recibir el Cuerpo y la Sangre de Cristo. Jesús dijo: *"Yo soy el pan vivo que ha bajado del cielo. El que coma de este pan vivirá para siempre. El pan que yo daré es mi carne, y lo daré para la vida del mundo". JUAN 6:51.* Este fue su último deseo en la última cena de conmemorar su existencia en la Tierra y de darnos vida. Para recibir a Cristo necesitas estar en *gracia*, así que dime si tú no estarás en paz y tener vida.

Las cosas positivas de la vida son los regalos que van a venir. Cuando Cristo instituyó su Iglesia, Cristo dejó a Pedro encargado de su Iglesia, como también le dejó las llaves del Cielo. Jesús le dijo a Pedro: *"Tú eres Pedro que significa piedra y sobre esta piedra edificaré mi Iglesia. Pedro conocido como Simón, fue el apóstol escogido por Jesús para ser líder de su Iglesia". MATEO 16:19. "Pondré dentro de ustedes mi Espíritu y haré que caminen según mis mandamientos, que observen mis leyes y que las pongan en práctica". EZEQUIEL 36:25. "El camino recto para nosotros consiste en guardar y practicar estos mandamientos como Él lo ha ordenado". DEUTERONOMIO 6:25. "Jesús le respondió: Si alguien me ama, guardará mis palabras, y mi Padre lo amará. Entonces vendremos a Él para poner nuestra morada en Él". JUAN 14:23.* Eucaristía: aquel día comprenderán que yo estoy en mi Padre y ustedes están en mí y yo en ustedes. Jesús está en mí cada vez que lo recibo en la Eucaristía estando en *gracia* limpio de pecado. Tenemos otras Iglesias que dicen ser la Iglesia de Cristo, pero ellos no quieren seguir los preceptos de JESUCRISTO. Los apóstoles también se preguntaban entre ellos quien era el más importante. Iglesias sobresaltan diariamente diciendo que son la Iglesia de Cristo engañando a muchos diciendo que ellos son la Iglesia de Cristo. ¿Por qué evitan seguir las instrucciones de Cristo? En los tiempos de Moisés, Dios dio instrucciones de cómo construir el Santuario y el Arca de la Alianza, Él les dio medidas precisas y cómo quería que se construyera todo.

¿Acaso Cristo no es Dios mismo cuando da un mandato de sus preceptos? Jesús dejó a Pedro guiado por el Espíritu Santo para conmemorar la crucifixión de Cristo, para compartir el pan que es el Cuerpo y la Sangre de Cristo. ¿Cómo es posible que otras denominaciones que dicen ser la Iglesia de Cristo no siguen los preceptos de Dios? Jesús dijo: *"¿Por qué me llaman Señor y no hacen lo que yo les digo?"* *LUCAS 6:46* ¿En dónde estás tú? ¿A quién sigues? Hay solo un ser a quien tú puedes seguir si tú quieres la Salvación, y su nombre es JESUCRISTO, nombre que está sobre todo nombre.

Así que pregúntate a ti mismo y regresa a la historia, ¿acaso el hombre te puede llevar al cielo? *"El que no me ama no guarda mis palabras; pero el mensaje que escuchan no es mío sino del Padre que me ha enviado".* *JUAN 14:24.* Únicamente el que no cree, hasta que muera sabrá qué es lo que pasará. Yo he estado muy cerca de la muerte, pero no he tenido ninguna experiencia acerca de Dios, cara a cara, para decir qué es lo que pasa. ¿FE? FE es creer ciegamente, porque Jesús dio su vida o Dios Padre permitió que su hijo fuera crucificado, si no tuviera un plan de salvación, está en cada individuo. Maldito eres si no crees en JESUCRISTO Nuestro Señor, porque estarías rechazando el sacrificio que hizo por ti en la cruz. Terminarás en el Infierno donde el fuego no se apaga y el gusano no muere y ahí será el rechinar de dientes, te vas a querer morir y ¡ya no vas a poder morir! Yo no sé tú, pero mirando a mi Señor Dios Jesús, maltratado y ensangrentado. No puedo imaginar su dolor. Mi corazón se siente quebrantado en muchos pedazos, es algo muy doloroso y la culpa que siento por mis pecados en mi corazón no me deja en paz. A como vas leyendo, ¿qué es lo que tú sientes? La mejor caracterización de la crucifixión la podemos ver en la película: *"La Pasión de Cristo"* escrita por Mel Gibson. No podemos aguantar lo que vemos en la película, por nuestra culpa y vida pecadora.

Hay personas que piensan que no ofenden a Dios y es una tristeza. Dios, mira dentro de cada corazón. Cuando uno se burla de otras personas uno mata su espíritu usando malas palabras, dándole malas miradas ofendes a Dios, orgullo es pecado mortal o deseo. Así que haz un examen de conciencia personal y para estar seguro pregúntale a un guía espiritual o a un sacerdote. No juzgues porque serás juzgado. ¡Como JESUCRISTO yo también quiero que nosotros seamos salvados! Yo tengo muchas historias de cuando manejaba tráiler, los percances de la vida cuando una vez manejaba sobre hielo negro, corriendo cuesta abajo de una montaña. La cabina del camión se ladeaba de un lado para el otro corriendo arriba de ochenta millas por hora, esa vez andaba solo supuse que me iba a accidentar porque no podía controlar el tráiler me asusté tanto que grité por mamá, y hoy al acordarme me da risa. Después de que terminó todo, era curioso. En otra ocasión mi copiloto y yo íbamos saliendo de California y otra vez íbamos cuesta abajo en una montaña, las llantas del tráiler empezaron a encenderse por aplicar los frenos muy seguido.

El tractor siguió aumentando la velocidad y culebreando sobre el tráfico, me pasé la oportunidad de salirme en una rampa de auxilio. Los frenos todavía trabajaban y finalmente pude parar el camión, los rines estaban increíblemente rojos y salía mucho humo blanco de las llantas. Tuvimos que esperar una hora para poder movernos otra vez, dándole gracias a Dios que estábamos bien, seguimos otra vez el camino para terminar nuestro viaje. Dios me ha mantenido vivo para escribir todo esto si tú estás leyendo esto hoy es para que te des cuenta de los **milagros** que pasan a cada instante en la vida. Todos tenemos un propósito y estamos ligados el uno al otro para mantenernos pegados. La misericordia de Dios me ha mantenido para sobrevivir estas adversidades y pruebas. Mi bienestar no está muy bien. Yo soy DIABÉTICO. Por ser diabético me tuvieron que amputar el pie izquierdo a causa de una infección en el dedo grande del pie. Mi sangre tenía una bacteria así que me amputaron debajo de la rodilla. De cualquier manera, las pruebas siguen viniendo y debemos recibirlo como bendiciones de Dios. Mi hija lloró en mi hombro diciéndome que quería que yo la viera casarse y ver a sus hijos crecer. Las oraciones salvaron mi vida porque en diferentes lugares del mundo oraron por mí.

¡La oración tiene mucho poder de Dios! El conocer a Dios nos permite vivir un poco más de tiempo. Ahora que tengo un brazo y una pierna amputados, las personas que me miran me dicen que agarran fuerza al ver cómo sobrevivo, también nuestros soldados. Nuestros soldados regresan a su hogar con sus extremidades mutiladas para darnos la libertad. ¿Cómo no podemos glorificar a Dios quien sufrió tanto por nosotros en la cruz? Jesús fue clavado en la cruz, imagínate, tuvieron que aplastar los clavos atravesando la carne de sus pies y manos, luego le pusieron una corona de espinas que traspasó su cráneo, los latigazos que Jesús recibió en todo su cuerpo; le jalaban su barba, le escupieron su cara, y una lanza le traspasó su costado matándolo. Aparte que tuvo que cargar la cruz muy pesada. El madero de la cruz no era tan pesado. Eran nuestros pecados los que pesaban. El pecado del mundo entero, cada pecado que fue cometido y es cometido. Como nos sentimos, el peso de nuestro cuerpo ni siquiera lo podemos soportar. Aun a través de su crucifixión Jesús nos enseña que cuando nos caemos tenemos que levantarnos.

Yo anduve en una silla de ruedas por meses, mis hijos me tenían que empujar para todas partes. Gracias a Dios por la inteligencia que les da a diferentes personas, a mí me equiparon con una prótesis para mi pie. Ahora puedo caminar otra vez. Las últimas palabras de Jesús nos enseñan a no desesperarnos, cuando Él exclamó: ***"Dios mío, Dios mío, ¿por qué me has abandonado?"*** *MATEO 27:46* y *MARCOS 15:34*. Jesús sabía todo lo que le iba a pasar, Él sabía todo esto cuando oraba en Getsemaní. Él le pidió al Padre que lo librara de esto, pero los planes del Padre eran más grandes en que Él tenía que morir para redimir nuestros pecados y dejarnos el Espíritu Santo. El Padre sabía que iba a resucitar a Jesús al tercer día, Jesús también sabía esto y se los anunciaba a los apóstoles. Sabiendo todo esto y mirando todo esto a través de los ojos de los apóstoles creemos en Jesús. Pedro reconoce que Cristo es El único a quien ellos pueden seguir, ahora nosotros por medio del ejemplo de los apóstoles debemos seguir a Cristo, que Él tiene la palabra de vida eterna. Esta es mi oportunidad de dejar algo atrás, ¿algunos querrán cambiar su vida?

Y yendo a través de la vida después de mi accidente me he acercado más a Dios, he tenido más retos. La vida no se hizo más difícil, ahora estoy más en oración. Meses anteriores perdí a mi esposa, ella fue deportada de los Estados Unidos a su país de origen, Honduras. Tenía tres de sus hijos de otro matrimonio que tuve que criar. Mi hija mayor ahora actuaba como mamá, porque sus hermanos eran menores que ella, mi hija menor tenía un año y medio todavía en pañales. Mis otros hijos también estaban pequeños todavía, la mayor solo tenía quince años cuando tuvo que asumir la responsabilidad de sus hermanos. Yo estaba bendecido con mi familia, mi hija menor se fue a vivir con mi hermana mayor, mientras que los otros cuatro se fueron a vivir con mi hermana menor, mi esposa disciplinó a unos de sus hijos muy severo, ella fue arrestada. En ese momento yo estaba trabajando fuera de mi casa, remodelando la casa de mis padres. Después de terminar el trabajo de remodelación, me regresé a manejar el camión de dieciocho ruedas. Nuestra familia fue separada, las malas decisiones que nosotros hacemos contribuyen a causar grandes consecuencias. Mis malas experiencias tal vez ayuden a pensar a otras personas a no cometer los errores que yo cometí.

Sin embargo, Adán estaba tan ocupado, ¿dónde estaba? Luego Eva estaba sola, ¡con Satanás! Ellos habían sido advertidos de cierto árbol. Ellos dudaron de Dios, luego Eva desobedece a Dios, y tercero ella arrastra a Adán a la desobediencia. Reflexiona cuando alguien te arrastra a pecar. ¿Nosotros nos escondemos detrás de las cosas inapropiadas de las otras personas que se exponen por motivo o causa de la libertad? Eva culpó a Satanás, la víbora el vivo astuto. ¿A quién vas a culpar? ¿Al país donde vives? Por permitirte quebrar los diez mandamientos. Tienes libre albedrío, sin arrojar piedras, pero somos arrastrados al pecado por personas desnudándose haciendo pornografía. Más que pornografía.PORNOGRAFÍA … PORNO quiere decir no mirar, GRAFÍA quiere decir muy gráfico para mirar (esta interpretación es propia del escritor). *"Nínive era una ciudad donde había pecado desenfrenado con la gente haciendo lo que se les antojaba ofendiendo a Dios". JONÁS 1:2.* Hoy en día yo estoy aquí para denunciar que parece ser lo mismo o peor, ¡reflexiónalo! Algunas personas tienen todo y creen que no ofenden a Dios. Quitaron a Dios de muchos lugares porque algunos quieren todo bajo el sol sin ninguna consecuencia. *"Jonás profetizó que la ciudad de Nínive sería destruida por Dios en cuarenta días". JONÁS 3:4.* Jonás advierte a la ciudad y el Rey ordena a todos los ciudadanos y animales que hagan ayuno y se ponen un saco de fibra y se sientan arriba de cenizas como sacrificio pidiéndole perdón a Dios. No solo Dios en su misericordia los perdona y no destruye la ciudad. Jonás se enoja con Dios porque perdona a los ciudadanos de Nínive. Ellos ayunaron y ofrecieron a Dios su corazón humillado y contrito.

Ahora vamos a hablar acerca del Nuevo Testamento viniendo de Dios donde dice muchas veces quien va a heredar el Reino de Dios, *"Él prosigue mencionando a los tipos de personas que irán al lago de fuego o Infierno. Y para reafirmar eso Jesús menciona aquellos que no heredarán el Reino de los Cielos: los que practican la sexualidad inmoral, los idólatras, los adúlteros, ni los hombres que practican la homosexualidad, ni los ladrones, ni los avaros, ni los borrachos, ni los difamadores, ni los estafadores, ni los homosexuales refiriéndose a hombres y mujeres"*. *1 CORINTIOS 6:9-11*. Nosotros no deberíamos de hacernos los tontos porque alguien cambia la verdad de lo que Jesús dejó escrito. Hay diferentes FES, llamadas religiones que proclaman que mientras tú proclames que Jesús es Dios, ¿entonces tú quedaras Salvado? *"No todo el que me diga Señor, Señor, entrará en el Reino de los Cielos, solo el que hace la voluntad del Padre entrará al Reino de los Cielos"*. *MATEO 7:21.*

No se equivoquen acerca de quién entrará al Reino de Dios, más bien confía en la misericordia de Dios y cambia tu vida. *"María Magdalena era una prostituta que fue sorprendida en acto y fue llevada ante Jesús, por los maestros de la ley y los Fariseos y le dijeron: 'Maestro, esta mujer es una adúltera y ha sido sorprendida en el acto. La ley de Moisés ordena matar a pedradas a la mujer. ¿Tú, que dices?' Jesús dice: 'Aquel de ustedes que esté libre de pecado, que arroje la primera piedra' ".* *JUAN 8:7.* Te preguntarás ¿Dónde estaba el hombre, el hombre con quien atraparon a María Magdalena? Tantas veces el hombre se sale con la suya, pero de la ira de Dios no escaparemos. Es mi responsabilidad decir que los hombres también son culpables de adulterio. Hoy en día nos damos cuenta de las injusticias contra la mujer que se cometían en el pasado, y actualmente en pleno siglo XXI en muchos países se siguen dando esas injusticias. Es importante orar por esta situación. Gracias a Dios sabemos que todos vamos a hacer juzgados por un Dios misericordioso.

Tengo problemas con las otras religiones por no escuchar la palabra de Dios. Jesús fue enviado por Dios Padre, y todo le fue dado, por eso creo que JESUCRISTO tiene dominio, sobre todo. Podría cambiar muchas cosas, por ejemplo, Dios cambió de opinión de destruir Nínive, y le da diferentes oportunidades a la humanidad para cambiar. *"Dios permitió que Jesús fuera crucificado para redimir a su pueblo". MARCOS 15:25.* Los pactos que DIOS hace, Dios puede cambiarlos. ¿Quién puede decirle o hacer algo porque Dios ha cambiado su pacto? Dios es Dios y nadie puede decir algo. ¿Está mintiendo sobre lo que dijo en el Antiguo Testamento? La razón por la que JESUCRISTO vino fue para renovar todas las cosas, algunas viejas por otras nuevas. Sin embargo, el Nuevo Testamento es el tiempo de Cristo, el EMMANUEL "Dios con Nosotros".

Cuando sabemos las cosas, tenemos consecuencias por saberlas y no hacerlas. ¿No sabemos a quién seguir? Tenemos muchas oportunidades, más que nuestros antepasados. Hoy en día puedes cometer errores y tienes la oportunidad de ir a confesar los pecados para que te sean perdonados. En el Antiguo Testamento, si morías en pecado mortal, ibas directo al Infierno. Tenemos la oportunidad de seguir a JESUCRISTO. Para que Él nos proteja contra Satanás, mientras peregrinamos por este mundo. Lo que Satanás quiere es que no creamos en Jesús.

"Jesús escoge a otros setenta y dos discípulos y los envía de dos en dos, delante de Él, a todas las ciudades y lugares a donde debía ir".

LUCAS 10:1

"Los setenta y dos discípulos volvieron muy contentos diciendo: "Señor, hasta los demonios nos obedecían al invocar tu Nombre".

LUCAS 10:17

"Jesús les habla de su cuerpo representado por el pan (Eucaristía) de la sangre representado por el vino, el que coma de este pan vivirá para siempre".

JUAN 6:48-58.

"A partir de entonces muchos de sus discípulos se volvieron atrás y dejaron de seguirle".

JUAN 6:66

"Jesús preguntó a los doce: '¿Quieren marcharse también ustedes?' Pedro le contestó: 'Señor, ¿a dónde iríamos? Tú tienes palabras de vida eterna'."

JUAN 6:67-68

Aquí no estoy juzgando solo quiero hacerles ver cómo es cuando no sabemos hacer lo correcto, hoy es fácil decirlo porque lo tenemos claro.

Estoy seguro de que hoy nos sentimos igual cuando nos sentimos solos, y no sabemos qué hacer. Podemos orar y no pasa nada, no sabemos por qué nuestras oraciones no son respondidas. ¿No sabemos qué hacer? ¿Hacemos ayuno u ofrecemos algo para recibir la bendición de Dios? A veces pedimos cosas que no están en la voluntad de Dios. Lo que pedimos no se alinea con lo que podemos necesitar en este momento. A veces pedimos dinero, pero queremos ir y gastar el dinero en lo incorrecto. ¡En nuestras pasiones o deseos desordenados! ¿Cómo podemos esperar que nuestras oraciones sean contestadas? Mi vida personal es una vida muy pecaminosa, porque era tan ignorante que pensaba que lo sabía todo y no sabía nada. Nunca leí la Biblia, nunca leí un libro sobre mi FE. No sabía quién era el Espíritu Santo, no practicaba mi FE. Rara vez iba a Misa, pero cuando iba a Misa, lo que el sacerdote decía me entraba por un oído y me salía por el otro oído, hoy me doy cuenta de todo lo que me perdía. La crucifixión fue nada para mí, no sabía el sacrificio que Jesús había hecho, ni sabía quién era Jesús.

Yo fui a clases Católicas, mi mamá nos llevaba a Misa cada domingo, cuando yo era niño. Me casé por la Iglesia Católica, pero, ¡no tenía idea de que era un Sacramento Sagrado! Era como hacer lo que hacen todos. En el año 2005 mi hermana me invita a un retiro de sanación interior. Era algo que no existía en nuestra FE o si existía yo no lo sabía, pero al conocer de esta herramienta divina de Dios estos retiros de sanación interior han hecho grandes impactos en la vida de personas con pasados muy obscuros. Hoy en día hay una pelea por las almas, pero no es por las almas en sí, es más bien por el **DIEZMO** que las sectas exigen a los feligreses. Hoy en día cualquiera se puede nombrar pastor de la Iglesia de Cristo, y de esas Iglesias, las hay por donde quiera, pero no hay ninguna legítima que haya sido escogida por Dios para guiar a sus ovejas. Ellos hablan de Cristo, pero no siguen los Mandatos de Dios. Han eliminado varios libros de la Biblia. La Biblia Católica tiene setenta y tres libros. La Biblia de los protestantes tiene sesenta y seis libros. Tuercen la verdad de Dios engañando a las personas a seguir su propio culto, dicen medias verdades ocultando la verdad. La Biblia relata el mensaje a través de los apóstoles, por eso la Iglesia Católica tiene sucesión apostólica, ahora cualquiera predica gritando acerca de Cristo. Estos pastores protestantes te quieren alejar de la verdad de Dios. Está escrito cómo Dios quiere que el sacerdocio establecido recuerde cómo conmemorar la crucifixión de Jesús. Cometen un gran pecado al pensar que pueden celebrar Misa, que únicamente es reservada para los sacerdotes. *"Nosotros aprendemos del sacerdote MELQUISEDEC que es Jesús mismo". GÉNESIS 14:18-20*

El sacerdote es asignado por Dios. Dios escoge a quién quiere que lo represente. No todos los hombres pueden celebrar la Santa Misa. Y qué es la Santa Misa: "Es la ceremonia principal de nuestra Iglesia Católica y la Iglesia Ortodoxa. En esta celebración los creyentes invocan el memorial de la VIDA, PASIÓN, MUERTE Y RESURRECCIÓN DE JESÚS. También es llamada Santa Eucaristía o cena del Señor. La palabra "MISA" proviene del latín misa, que quiere decir *"envío"*. Ningún hombre que no sea sacerdote puede hacer la "TRANSUBSTANCIACIÓN". La conversión de toda la sustancia del pan en la sustancia del Cuerpo de Cristo, y de toda la sustancia del vino en la sustancia de su Sangre. Ese derecho solo le fue otorgado a los sacerdotes de la Iglesia Católica y Ortodoxa. *"Todo sumo sacerdote es tomado de entre los hombres y nos representa en las cosas de Dios; por eso ofrece dones y sacrificios por el pecado". HEBREOS 5:1.*

Fue el Padre Celestial quien estableció a su Hijo como sacerdote eterno. *"Tú eres sacerdote para siempre a semejanza de Melquisedec". HEBREOS 5:4-6.*

Jesús escogió a Pedro para ser líder de la Iglesia, así que no hay argumento de que otra persona fue el primer Papa. La Iglesia al crecer y estableciéndose hace una orden de jerarquía entre los líderes de cada comunidad. Así que el Papa, el primer pontífice fue Pedro. Jesús lo llama piedra sobre quien Cristo decide construir su Iglesia. No hablamos de un templo o de un edificio. Para entender cómo la Iglesia tuvo sus primeras escrituras, hay que hablar del Antiguo Testamento. Dios envió profetas y en aquellos tiempos, escribían en pergaminos, alguien escribió todo lo que hoy observamos como rito en la Misa en el cual se lee el Antiguo Testamento. Después se lee el Nuevo Testamento conmemorando el nacimiento, la vida, la muerte, y resurrección de JESUCRISTO. Siendo los apóstoles los primeros Cristianos Católicos, quiere decir que hay solo una Iglesia desde el principio. Si Jesús instituyó la Iglesia y los apóstoles le pusieron su nombre llamándose Cristianos, porque seguimos a JESUCRISTO. Entonces nosotros somos Cristianos Católicos porque, seguimos a JESUCRISTO. En 1507 Martin Lutero se aparta de la Iglesia Católica y establece una nueva Iglesia que ignora la conmemoración a JESUCRISTO Rey, arrastrando a muchos para que sigan su doctrina y desde ahí nacieron todas las otras sectas protestantes, que dicen llamarse la Iglesia de Cristo que no practican la orden del sacerdocio que Dios instituyó desde el tiempo de Moisés con los levitas y Jesús después instituye a Pedro, y más tarde ellos son sus asesores que continúan el linaje de heredar la unción de los sacerdotes que hasta hoy en día son llamados por Dios. ¿O acaso Martin Lutero es el hijo de Dios, a quien nuestro Padre Dios envió para redimir al mundo?

El movimiento de la Cristiandad se ha movido hacia delante guiado por el Espíritu Santo, para seguir ungiendo los sacerdotes quienes intervienen para ser instrumentos de Dios y guiar a su pueblo en el camino de la santidad, para alcanzar la vida eterna. Quienes son estos pastores que se elegían solos para guiar al pueblo de Dios con engaños y medias verdades y peor aún inventan doctrinas a su manera, cambian las escrituras y hacen culto a su propia manera. Y dicen párate al aire y pide perdón por tus pecados directamente con Dios. Ignoran o no lo quieren creer lo que Jesús dijo: *"A quien ustedes perdonen los pecados, les serán perdonados; y a quienes no se los perdonen, no les serán perdonados"*. *JUAN 20:23*. Reservado solo a los sacerdotes que representan a Dios, para dar la absolución de los pecados confesados.

Según dicen no tienen altar y en los tiempos de Moisés, Dios les pidió que construyeran una tienda y el Arca de la Alianza. Establece el sacerdocio de Aarón y sus hijos. A través de ellos el sacerdote era el único que podía ofrecer ofrendas por el pecado, hoy en día tenemos igualmente los sacerdotes que, en el nombre de JESUCRISTO, pueden perdonar los pecados. Me pregunto qué hará toda secta protestante para el perdón de los pecados, si no tienen sucesión apostólica. Cómo pretende el pastor protestante salvar a sus ovejas que le siguen o solo se queda en una pretensión. Jesús dijo: *"Muchos me dirán en aquel día: 'Señor, Señor, ¿no profetizamos en tu nombre, y en tu nombre echamos fuera demonios, y en tu nombre hicimos muchos milagros?' Y entonces les declararé: 'Nunca os conocí; apartaos de mí, hacedores de maldad'"*. *MATEO 7:22-23*. Hermano yo conozco muy bien mi FE y les advierto, Jesús nos dejó un mandato y no dijo que hiciéramos las cosas a nuestra manera o a nuestra conveniencia.

Yo fui invitado a una Iglesia protestante por mi vecino. La primera cosa que hizo el pastor y mi vecino fue, según ellos, bautizarme en su Iglesia. Me engañaron, porque solo puedes ser bautizado una vez. Que tenía que aceptar a Cristo en su Iglesia protestante. Él había vivido una vida desenfrenada y era un mujeriego y había tenido un encuentro con Dios y ahora era un hombre de bien y se había hecho pastor, ellos confesaban sus pecados directamente con Dios. Me pregunto: ¿Cómo ellos saben que Dios les ha perdonado? No creo que exista una cita en la Biblia, que diga que los que no eran discípulos de Jesús tenía la autoridad de perdonar los pecados. Los apóstoles fueron a quienes Jesús eligió y ellos ungieron a los presbíteros. Yo era ignorante y no conocía mi FE. Por eso dicen: "Católico ignorante, seguro protestante". Ahora bien, la persona que me invitó era Católico, ignorante de su FE, hablaba mal de la Iglesia Católica. Sabes que cada vez que se celebra la Misa hacemos una profesión de FE en la Iglesia Católica. Regreso a hablar del bautizo, una vez que hayas sido bautizado no te puedes bautizar otra vez. Ellos te bautizan con agua y en el nombre del Espíritu Santo. Cuando un sacerdote o diácono bautiza en la Iglesia Católica, lo hace en el nombre del Padre, del Hijo, y del Espíritu Santo, y usa como símbolo el agua. No dejen que los engañen, aprendan y conozcan su FE. Estos ritos son reservados para los sacerdotes y diáconos y bajo extensas circunstancias, hay excepciones, pero estas están reservadas solo para los sacerdotes.

"Zacarías y Santa Isabel eran de edad avanzada, y Santa Isabel ya no podía tener hijos, de cualquier manera, nada era imposible para Dios. Una vez al año uno de los ancianos de la Iglesia podía entrar al lugar Santísimo para ofrecer incienso a Dios. En ese momento un ángel de Dios se le apareció a Zacarías y se llenó de temor, el ángel le dijo: 'No temas, Zacarías porque tu oración ha sido escuchada. Tu esposa Isabel te dará un hijo y le pondrás por nombre Juan'". LUCAS 1:11-15. Los escogidos, piensan en los grandes misterios de Dios. "Dios escoge a Santa Isabel para ser la madre de Juan Bautista". LUCAS 1:39-56. "Zacarías quedó mudo por no creer en el ángel de Dios". LUCAS 1:18-22. "Muy pronto Santa Isabel queda encinta". LUCAS 1:24-25. Santa Isabel se queda sorprendida porque Dios no ha permitido que ella quede en vergüenza por no crear hijos, esto nos enseña que hay muchas cosas que las recibimos en el tiempo de Dios. Oramos y vemos que nada sucede, nos desanimamos, y no permitimos que Dios actúe en nuestra vida. Si quieres ver **milagros** en tu vida debes ser paciente y perseverante, hay cosas espirituales más importantes en tu vida donde Dios obra y tú ni cuenta te das. Para los que piden un hijo piden la intersección de Santa Isabel y del ángel San Gabriel, y esperan como cuando viene la cigüeña ¡con tu morralito!

"La anunciación, el ángel de Dios, Gabriel es enviado a la Virgen María. El ángel Gabriel se le aparece a María para anunciarle la venida de Jesús, y ella ha sido escogida por Dios a ser la Madre de Jesús". LUCAS 1:26-32. En ese momento Isabel ya tenía seis meses de estar encinta con Juan el Bautista. El ángel Gabriel le dice a María, "¡Salve, muy favorecida! El Señor es contigo; bendita tú entre las mujeres". *"Entonces el ángel le dijo a María: 'No temas, porque has hallado gracia delante de Dios. Y ahora, concebirás en tu vientre, y darás a luz un Hijo, le pondrás por nombre Jesús. Será grande y justamente será llamado Hijo del Altísimo. El Señor Dios le dará el trono de su antepasado David; gobernará por siempre al pueblo de Jacob y su reinado no terminará jamás' ". "María entonces dijo al ángel: '¿Cómo puede ser eso, si yo soy Virgen?' Contesta el ángel: 'El Espíritu Santo descenderá sobre ti y el Poder del Altísimo te cubrirá con su sombra; por eso el niño santo que nacerá de ti será llamado Hijo de Dios'. El ángel Gabriel también le dice de Isabel que ella está en el sexto mes de embarazo". LUCAS 1:26-38.* María toma la decisión de visitar a su prima Isabel. María se traslada a una ciudad llamada Judá, María entra en la casa de Zacarías y saluda a Isabel. *"Isabel escuchando el saludo de María dice que el bebé que está en su vientre dio un salto de felicidad. Isabel llena del Espíritu Santo exclamó: 'Bendita tú entre las mujeres y bendito sea el fruto de tu vientre'. Isabel le dice a María: 'Bendita seas por creer en el Señor'". LUCAS 1:39-45.*

Dos mujeres escogidas por Dios, lo que es imposible para el hombre, para Dios no hay imposible. El **milagro** más grande realizado en una mujer, y todavía dudamos de su existencia. Deberíamos estar avergonzados y valorar la hermosura de la creación de Dios y sus misterios, por nuestra duda no merecemos saber nada.

Al tenerle envidia, o no reconocerla como la elegida, la favorita de Dios, a María Santísima, nos perdemos tantas bendiciones. Hay tantos que dicen creer en Dios, pero no en María Santísima, cómo puede ser posible eso, si ella nos trajo a Jesús en su vientre por nueve meses con ella y para ella, se atreven a decir: "La Tierra Santa" porque es donde Jesús caminó durante su vida aquí en la Tierra. Cuanto más "Santa" es Nuestra Madre Santísima que tuvo a Jesús y lo amamantó, lo cuidó le enseñó a caminar le dio parte de ella para Él que fuera Dios y Hombre. Me pregunto cómo pueden ser tan ciegos o faltos de sentido común o ignorancia o tal vez es el demonio obrando en todas esas personas para aceptar tal barbaridad. **Esperamos que este libro les abra los ojos y lo haga recapacitar para empezar un nuevo camino hacia la verdad.** Les voy a dar un ejemplo de por qué la Iglesia dice que María santísima es Virgen, antes del parto, durante el parto, y después del parto: ya sabemos todo lo de la anunciación; pero en parto ¿cómo? Bien, en una mujer común, media, ves está embarazada ya deja de ser virgen. Pero Nuestra Madre Santísima "no" porque el ángel Gabriel le dice "el Poder del Espíritu Santo, posará sobre ti". ¿Correcto? Ahora durante el parto, el ejemplo más claro es el de una ventana de vidrio transparente, cuando el sol atraviesa la ventana, se ve su resplandor al otro lado de la ventana. Pregunto: Para pasar al otro lado, ¿quebró la ventana? Claro que no, la ventana sigue intacta.

Y cómo puede ser Virgen después del parto, solo lo pueden entender los que verdaderamente han tenido una verdadera METANOIA (cambio de mente y corazón) los que viven según el Espíritu donde los deseos del cuerpo disminuyen y los deseos del alma aumentan, por eso Nuestra Madre Santísima dice: *"PROCLAMA MI ALMA LA GRANDEZA DEL SEÑOR, Y MI ESPÍRITU SE ALEGRA EN DIOS MI SALVADOR". LUCAS 1:46-47.* JESUCRISTO es tan puro porque nunca pecó, no desobedeció al Padre, cuando era pequeño se le encontró en la Sinagoga predicando con poder y verdad que hasta los ancianos se preguntaban de dónde obtiene tanta sabiduría.

José y María ya habían caminado tres días de regreso a Nazaret, al ver que no iba con ellos regresaron a buscarlo, al encontrarlo le preguntaron que por qué les hacía esto, Jesús les contesta: *"No saben que debo de estar en los asuntos de mi Padre"*. Nosotros tenemos el corazón tan duro que no queremos creer en JESUCRISTO y menos en su Madre María. De cualquier manera, Jesús hizo muchos prodigios y Él quiere que creamos y vivamos eternamente, Él no te dio la vida para condenarte. De cualquier manera, este cuerpo dejará de existir y lo que es de Dios a Dios regresará, pero lo que no sirve para nada arderá como la paja para siempre en el Infierno dijo Jesús. Tenemos que hablar con Dios para que escuche nuestra súplica y rendirle gloria si queremos ser escuchados. ¿Qué es lo que te falta que tiene tu mente intranquila? La paz, alegría, verdadera felicidad, la esperanza, el consuelo, solo viene de Dios. JESUCRISTO siempre dice NO tengan miedo. ¿Por qué tenemos miedo? Yo pienso que es nuestra concupiscencia (deseo de bienes materiales en especial deseos sexuales desordenados). Que no nos deja en paz. Nuestros pecados traen tanta inseguridad y nos persigue nuestra propia culpabilidad. Es vital pedir ayuda divina, sin dudar de su misericordia. Recuerda el que Él murió en la cruz por nuestros pecados.

Jesús dijo: "Todo lo que pidan en mi nombre lo haré, de manera que el Padre sea Glorificado en su Hijo". JUAN 14:13. Les voy a dar un pequeño testimonio: una vez yo no tenía dinero para comprar comida, caminaba como un loco por los pasillos de mi casa, hice una oración con FE, diciendo *"Señor mío por favor manda uno de tus ángeles para que me ayude en mi necesidad".* Era Navidad, y fui a visitar a mi familia, yo les había pedido un préstamo, mi hermana me dice: "Ven para acá". Me acerco a ella, y me dice: "Mete tu mano en mi mandil" (gabacha que se usa para cocinar) y ella me dice: "FELIZ NAVIDAD". Era una gran cantidad de dinero que me ayudó por mucho tiempo. Me acordé de la oración que exclamé en mi casa y le di GLORIA A DIOS. Hasta hoy dependo de Dios y nunca me ha faltado nada en absoluto, Dios se vale de cualquiera para ayudarnos. Recuerda que somos las manos, los pies, los ojos de Dios aquí en la Tierra. Cuando te nace hacer algo, solo hazlo, es Dios quien te está utilizando para que hagas un **milagro** en su nombre.

"Jesús dijo: 'Ustedes, pues, recen así:
Padre nuestro, que estás en el Cielo,
Santificado sea tu nombre,
Venga tu Reino,
Hágase tu voluntad
Así en la Tierra como en el Cielo.
Danos hoy el pan que nos corresponde;
Y perdona nuestras deudas,
Como también nosotros perdonamos
A nuestros deudores;
Y no nos dejes caer en la tentación,
Sino líbranos del maligno'". MATEO 6:9-13.

Da gracias y cree que lo que pidas se te dará. Desde el Antiguo Testamento fueron manifestados tantos misterios. Bendecido sea el que crea en el nombre de JESUCRISTO, porque entenderás la palabra de Dios. Todo el que siga a JESUCRISTO, podrá escuchar la voz de Él. Somos llamados a servirle de diversas formas, nada más se requiere que des un sí, pero no un sí cualquiera tiene que ser un SÍ con convicción y decisión. Nosotros somos tan ricos en la FE, que el que escoge ser Cristiano Católico no será defraudado. Podemos recibir dones y talentos que nos permitan ejercer cosas extraordinarias. Las personas que tienen cargos divinos son escogidas por Dios, como por ejemplo Los profetas del Antiguo Testamento, y hoy en día somos nosotros los enviados por Dios, pero por miedo y la ignorancia son muy pocos los que se atreven.

El mundo es de los valientes y las cosas suceden cuando nos dejamos mover por el Espíritu Santo. El Espíritu Santo está siempre disponible para actuar en nuestra vida si nosotros le dejamos actuar. María Santísima no lo pensó, ella le dio el SÍ y se llenó del Espíritu Santo. Y el resto se cumplió porque ella permitió que Dios obrara en su vida. Dios la tenía reservada para que fuera la Madre del EMMANUEL.

Dios justifica a quien quiere y llama a quien Él quiere. Su respuesta al ángel Gabriel es: "que se haga en ella lo que Dios ha dicho". María estando comprometida para ser esposa de José, no fue a pedirle permiso ni explicarle que Dios la había elegido para ser la madre del EMMANUEL. María con una valentía extraordinaria, se entrega ciegamente a Dios. Tenía preguntas SÍ, pero eso no le permitió cambiar su decisión en la trayectoria de su vida aquí en la Tierra. El Espíritu Santo hizo en María Santísima lo que ella permitió. María queda embarazada de Jesús, Rey, Dios y Hombre. En ese tiempo los adúlteros eran apedreados hasta morir. María no tuvo que hablar. El ángel Gabriel habla en sueño con José para explicarle el estado de la Virgen María. José obediente a la voluntad de Dios, se la lleva a su casa. ¡Qué tarea para ellos! Son llamados al plan de salvación de Dios. María confió completamente en Dios. Su FE en Dios es ciega, ella es un ejemplo de confianza y FE como San José el padre putativo de Jesús. José y María siguen obedeciendo siempre a Dios. Cuando el ángel fue enviado a José para informarle del peligro que se avecina y huyera a Egipto no dudó en hacerlo. Cuando alguien pregunta si estamos dispuestos a morir por Jesús muchos la mayoría dice que sí, pero no dejamos morir el pecado que hay en nosotros y eso hace imposible acercarnos a Dios. ¿Qué nos pasaría a nosotros si obedecemos a Dios y lo seguimos en Espíritu y verdad? **Este libro se escribió suplicando para que tu entendimiento y tus ojos se abran y te des cuenta de la verdad revelada, te sugiero que profundices más para que camines en el camino de la verdad y te lleve a la vida eterna.**

"Jesús les dice a los Fariseos: por lo tanto, hay de ustedes maestros de la Ley y Fariseos, ¡que son unos hipócritas! Ustedes cierran a la gente el Reino de los Cielos. No entran ustedes, ni dejan entrar a los que querían hacerlo". MATEO 23:13. "Ustedes recorren mar y tierra para ganar un pagano y, cuando se ha convertido, lo transforman en un hijo del demonio, mucho peor que ustedes". MATEO 23:15. Los Fariseos no seguían la Ley de Dios como ellos predicaban. Ponían cargas pesadas y ellos no movían ni un dedo para levantarlo. Los Fariseos fallaban en la ley más principal, que es el amor al prójimo, y en el perdón, Jesús los reprendía. Eso no era todo lo que Jesús hacía. No les decía lo que les enseñaba a sus apóstoles. Los Fariseos le hacían preguntas a Jesús para encontrarle alguna mentira o falsedad y no creían en la doctrina de Jesús. Jesús es Dios y como iban a encontrar alguna mentira o equivocación en Él. Si Dios es quien todo lo creó y sabe por qué y para qué, los creó. Nosotros tenemos estas tentaciones también, como los Fariseos y los maestros de la Ley. Cuestionamos a Dios con nuestras dudas, preguntando: Por qué esto, por qué aquello y cómo puede ser, son preguntas que le hacemos a Dios. Tal vez tenemos muchas preguntas para Dios, ¿pero qué es apropiado preguntar? Nosotros tenemos preguntas que son reservadas para Dios Padre únicamente y las respuestas solo Él las sabe. ¿Acaso entendemos cuando el Espíritu Santo habla, cuando escuchamos una profecía?

¿Qué es lo que quiere decir cuando Dios te habla a tu corazón? ¿Cómo te das cuenta de cuando Dios te está hablando? Si te sientes impulsado a hacer ciertas cosas, es el Espíritu Santo, que te está enviando a evangelizar, o visitar a un enfermo, o alguien que está en la cárcel, o dar algo que alguien necesita.

El Espíritu Santo fue dado por Jesús para que esté con nosotros y para que obre en nosotros, es el consolador. Nosotros muy a menudo lo ignoramos y no lo podemos escuchar. El Espíritu Santo nos avisa alguna cosa buena o mala que nos puede pasar. Según vamos por esta vida, temporal luchando, batallando, preocupados por lo material, preocupado por las cosas vanas invirtiendo nuestro tiempo en algo que no tiene sentido ni esperanza, hay personas que le han encontrado el verdadero valor a la vida y la han vivido como Dios quiere que vivamos esas personas son contadas y los llamamos "SANTOS" vivir en Santidad es lo único que da honor, por eso nosotros tenemos a los Santos como héroes en la FE. Como dijo San Ignacio de Loyola. *"Si ellos lo lograron siendo de carne y hueso como yo. Por qué yo no lo puedo lograr".* En la FE Católica por el momento el líder de la Iglesia es el Papa Francisco es el Ungido de Dios. Que es ungido (escogido por Dios) Dios es quien escoge a sus servidores. El liderazgo único del mundo el cual es el Pontífice, es el único que no es elegido por ningún hombre. Seguro que el Papa es envidiado por muchos. Bueno ellos envidian porque no saben y no quieren creer, que en la historia del mundo siempre Dios ha dejado un representante en la Tierra te voy a mencionar a dos: Abraham y Moisés. La Iglesia es guiada por el Espíritu Santo e ilumina al Papa para guiarlo.

Luego comenzaron a discutir entre ellos sobre quién de ellos era el más importante. Jesús les dijo: *"Los reyes de las naciones las gobiernan como dueños, y los mismos que los oprimen se hacen llamar bienhechores. Pero no será así entre ustedes. Al contrario, el más importante entre ustedes debe portarse como si fuera el último, y el que manda, como si fuera el que sirve".* LUCAS 22:24-26. Esto lo tiene muy bien claro el Papa Francisco.

Puede ser muy grandioso ser elegido, pero llevarás mucho peso en tus hombros. Jesús mismo es servidor de todos, él nos da el ejemplo trabajando, demasiado apasionado, amoroso, cuidadoso, y nutridor de toda persona. Si quieres ser líder prepárate para servir, ser menos que los demás y trabajar mucho. No está bien ser egoísta y tratar ser mejor que los demás. Pero si puedes ser mejor que los demás en tu piedad, en tu bondad en el amor. No busques ser reconocido porque eso es vano ante Dios. La verdadera humildad solo se alcanza a través de la humillación. Mi última experiencia de muerte: Me empecé a enfermar del COVID 19 enfermedad del último siglo contagioso, doloroso y muy destructivo. Perdí el conocimiento por que no me acuerdo de nada, mi hija me comenta que yo vomitaba sangre y perdí el sentido, ella desesperada llamó la ambulancia porque yo ya estaba poniéndome tieso estaba medio muerto, para que me llevaran al hospital de emergencia. Tenía fiebre alta y yo no colaboraba, estaba sin conocimiento. Me despierto días después sin saber dónde estaba, y me encuentro entubado y muy grave en cuidados intensivos. Me pareció caminar en medio del Inferno, pero Dios me mantuvo vivo. Me enojé tanto por estar vivo, yo no quería estar más en este mundo, ya vive mucho dolor y mucha agonía, tengo una mano y un pie amputados, ¿acaso eso no es suficiente dolor?

Yo ya no quería existir en esta Tierra, porque en mi subconsciente sabía que yo iba a sufrir muchísimo para sobrevivir y hacerme cargo de mis hijos. Yo sé que para vivir hay que trabajar y lo hago, aunque con un pie y una mano, pero eso no es gran problema. El gran problema es que nadie te da trabajo. Por lo mismo me encuentro sin sueldo, sin recursos económicos.

Tenía que afrontar la realidad, yo estaba siendo un Jonás, no quería enfrentar mi realidad. Me sentía inútil, así que ¡Oré a Dios! Dije: "JESÚS PERDONAME POR QUERER RENUNCIAR A LA VIDA, TE DOY GRACIAS, POR MANTENERME CON VIDA. TE PIDO QUE ME BENDIGAS Y NO ME ABANDONES, EL DINERO ES MUY NECESARIO PARA SOBREVIVIR, ASÍ QUE POR FAVOR BENDÍCEME CON TODAS LAS COSAS QUE NECESITE. Ahora todas estas palabras han sido iluminadas por el Espíritu Santo, mi trabajo no está completo todavía. Yo confío en que tú vendrás al pie de la cruz al leer este libro y abras los ojos para darte CUENTA LO QUE ERES, LO QUE TIENES, LO QUE VALES PARA DIOS. No esperes a llegar como estoy yo mutilado para reconocer a Dios y ser agradecido, DIOS TE AMA Y QUIERE QUE TODOS NOS SALVEMOS *"NO OLVIDEN QUE HAN SIDO RESCATADOS DE LA VIDA VACÍA QUE APRENDIERON DE SUS PADRES; PERO NO CON UN RESCATE MATERIAL DE ORO O PLATA, SINO CON LA SANGRE PRECIOSA DE CRISTO, EL CORDERO SIN MANCHA NI DEFECTO".* *1-PEDRO 1:18-19.* Espero que hayas aprendido el poder de la oración y te des cuenta lo que te estás perdiendo si no oras.

Tal vez ya seas un creyente, o eres ateo, o tal vez un Católico Cristiano que ha abandonado su FE, PERO TE DIRE QUE LOS CATÓLICOS ESTAMOS RECIBIENDO EL VERDADERO PAN DIVINO, EL CUERPO Y LA SANGRE DE CRISTO, EN CADA SANTA MISA. Estamos más cerca de Dios, su Sangre corre por nuestras venas. Católico Cristiano, profesa tu FE con convicción y no seas solo un título en ti, hay que vivir la FE y dar testimonio con el ejemplo.

Nosotros no podemos imaginar la grandeza de Dios. El universo le queda pequeño en comparación con la grandeza de Dios. Dios es tan grande que nos hizo para Él, no para que nos perdamos en el pecado. Hay muchos sacerdotes hoy en día con enseñanzas a través de video incluyendo la Madre Angélica a través del canal EWTN. Ellos enseñan la doctrina de Jesús, te invito a ver estos canales para que aprendas de la FE cristiana y de Dios. Por ahora esto es lo que puedo compartir. Espero en la Providencia de Dios Nuestro Señor me siga iluminando para seguir escribiendo y que a través de lo que escriba te ayude y te fortalezca en Amar y seguir a Cristo Rey.

ESTO PUEDE SER EL PRINCIPIO DEL FIN PARA ALGUNOS "NOS VEMOS EN EL CIELO"

TESTIMONIO

Donde abunda el pecado, sobreabunda la *gracia*, con estas palabras yo, Manuel Laynes, quisiera empezar mi insignificante testimonio sin quitarle ningún mérito a mi hermano y amigo Tony, ya que en el libro es de FE. Pues déjame contarte que yo tengo evidencias de la FE. Mi padre fue llamado por el Señor cuando yo tenía tres años, y según me cuentan que a mí me afectó mucho, pero la verdad no recuerdo nada, lo que sí recuerdo es que mi autoestima era demasiado baja y vivía intimidado; somos diez hermanos siete mujeres y tres hombres, yo el más pequeño de los hombres y mi madre estaba embarazada de mi hermana más pequeña cuando mi padre falleció. Llegué a la adolescencia con lo mismo, con la autoestima baja, yo siempre quería ser parte de algo, o que se me tomara en cuenta.

Los amigos que tenía en ese tiempo de mi adolescencia fumaban mariguana y cuando se iban a drogar me dejaban solo y yo quería ir con ellos, pero ellos me ignoraban y me dejaban solo. Por querer ser parte de ellos me involucré en las drogas, fue fascinante, por primera vez me sentía positivo seguro de mí mismo, y continué con otras drogas como las pastillas, el alcohol y todo lo que me sacaba de mi realidad. Mi madre se dio cuenta de mi adicción y en silencio lloraba, pero nunca me dijo algo, o me castigó, siempre me amó, además de amarme siempre oró por mi conversión, pero cuanto más oraba yo más me involucraba en las drogas y en todo el mundo del pecado, como en los juegos de apuestas como póker, dados y todos los juegos de azar.

Me gradué de Maestro de Educación Primaria. Seguí estudiando medicina en la Universidad San Carlos de Guatemala, lo cual fracasé por mi adicción. Mi madre quería que yo siguiera estudiando, pero yo le dije que no y quería venirme a Estados Unidos y ella aceptó mi propuesta. Al llegar a EE. UU. conocí otras drogas las cuales también experimenté con ellas y me sumergí más y más. Mi madre seguía y orando por mí, pero cuanto más ella oraba yo más me sumergía en ese mundo. Trataba de parar, pero no era posible lo lograba por unos cuantos meses y volvía a retomarlo con mayor fuerza y así mi vida iba cayendo en un abismo, ya no era fascinante como lo era al principio ya era una necesidad de estar drogado sin quererlo.

No es fácil para mí contar mi vida, pero si esto te puede ayudar eso hace que valga la pena hacerlo. Mi esposa me dijo un día que ella siempre oraba por el que iba a ser su esposo y le pedía a Dios un esposo fiel, pero sobre todo que ame a Dios los primeros once años de casados fue duro para ella, pero cuando la oración de mi madre y de todos los que oraron por mí fue escuchada y atendida llegó mi conversión. Recuerdo bien un diciembre me fui a confesar después de once años sin confesarme, recuerdo bien esa confesión, porque le dije al Padre: *"Quiero acercarme a Dios, pero no sé cómo"*. Y él me dijo: *"Lo que quieres es bueno solo sigue queriéndolo, Dios se manifestará en su momento"*.

Al salir del confesionario, fui a llamar a mi madre y le dije: *"Mamá, ya fui a confesarme"*. Ella, ¡gritó de alegría!, y me dijo: *"Al fin el Señor escuchó mi oración"*, en ese momento no lo entendí. Recuerdo que lo único que quería era vivir un retiro espiritual quería saber más de Dios, para ese diciembre mi cuñado y su esposa iban a venir de Guatemala a pasar la Navidad aquí con nosotros, ellos son del Movimiento de Cursillos de Cristiandad y arreglaron todo para que yo fuera a vivir el Cursillo. Esperaba con ansias que llegara la fecha de dicho Cursillo, ya que era para febrero del 2011. Recuerdo cuando llegó el día que me iba a ir tenía muchos asuntos pendientes, eran tantos que ese día no comí nada así me fui.

Fueron los mejores tres días que había vivido, fue como el Cielo en la Tierra no quería salir de ahí nunca, pero como todo es de esta manera aquí en la Tierra, todo tiene un final aquí nada es para siempre, todo pasa, aquí solo son pizcadas de felicidad, la plenitud completa está en el Cielo. Como todo el que cambia es uno, el mundo sigue igual como dice Santa Teresa de Calcuta: *"Somos como una gota de agua en el mar"*. Un hermano de cursillos me dijo que si quería servir tenía que asistir a clases todos los martes, yo encantado fui todos los martes era como que el Espíritu Santo me llevaba.

Mi madre asistió a una de mis reuniones, al final de esta cantamos *"Las cien ovejas"*. Ella cantaba con el corazón en la mano y le salían unas lágrimas enormes de felicidad, en ese momento comprendí que ella había estado orando por mi conversión. Mi madre Francisca López ya fue llamada a la casa del Padre, sé que ella entregó buenas cuentas de mí. Yo le puse a prueba su FE, ella creyó en lo que Jesús dijo: ***"Porque ustedes tienen poca FE. En verdad les digo: si tuvieran FE, del tamaño de un granito de mostaza, le dirían a este cerro: Quítate de ahí y ponte más allá, y el cerro obedecería. Nada sería imposible para ustedes"***. *MATEO 17:20*.

Padres de familia no se cansen de orar por sus hijos, no son sus palabras o consejos que los van a cambiar. Solo sus rodillas van a hacer que pasen **Milagros**, aunque vean que nada cambia ustedes sigan orando, aunque vean que las cosas van empeorando ustedes continúen de rodillas, recuerden que Dios escribe recto en renglones torcidos. Bendito sea Dios por dejarnos la FE y la oración como herramienta.

Quiero concluir con esto: "Si el oro debe ser probado pasando por el fuego, y es solo cosa pasajera, con mayor razón su FE, que vale mucho más". Esta prueba les merecerá alabanza, honor y Gloria el día en que se manifieste Cristo Jesús.

Si Dios así lo quiere, el título del próximo libro será: *"Peleando con Dios"*.

Made in the USA
Middletown, DE
11 April 2022

63714262R00102